C0-CDG-137

Para Willy

Con admiración por su
gran labor en favor de
la literatura boliviana e
hispanoamericana en general

Mana G.

Mara Lucy García

ESCRITORAS
BOLIVIANAS DE HOY

BOLIVIA

Serie La Hoguera Investigación, 2008
© Grupo Editorial La Hoguera
Escritoras bolivianas de hoy
Mara Lucy García

Editorial La Hoguera
Calle Beni 678
Edificio Gabriela 2.º piso
Santa Cruz de la Sierra
Bolivia
Derechos reservados de acuerdo a Ley

Prohibida la reproducción total o parcial de la
presente obra sin permiso expreso, por escrito,
del autor y la empresa editora.

Editor: Mauricio Méndez J.
Corrección de estilo y diseño editorial:
Departamento de Producción La Hoguera
Impresión: Imprenta Landívar

PRIMERA EDICIÓN • 2008
Depósito Legal: 8 - 1 - 747 - 08
I.S.B.N.: 978 - 99954 - 31 - 79 - 2

Comentarios y sugerencias:
www.lahoguera.com

ESCRITORAS
BOLIVIANAS DE HOY

A mi hermana Yaiko Osaki Sevilla,
por su apoyo incondicional

Índice

Introducción

Una de las frases que cautivó mi atención al entrar en contacto con la literatura boliviana fue: "No leer lo que Bolivia produce es ignorar lo que Bolivia es", frase recurrente que encontré impresa en muchos libros bolivianos. El propósito de este libro, *Escritoras bolivianas de hoy*, cumple, en parte, con esa misión, la de entrar en las aguas sustanciales de la literatura femenina boliviana, a través de sus autoras. Al igual que en otros países, ellas han ido emergiendo y han producido textos que merecen ser leídos, no sólo por el público boliviano, sino también por otros sectores que muchas veces no tienen acceso por la falta de difusión. Las autoras hispanoamericanas han gozado de fama ambigua, o han sido relegadas a un segundo plano, a pesar de que sus escritos eran comparables al de los autores de renombre, y sus trabajos no fueron reconocidos ni tan difundidos como la de los autores varones. En los últimos tiempos, la proliferación de escritoras hispanoamericanas ha despertado el interés de los críticos y sus nombres empiezan a engrosar las filas de los libros más leídos. Los investigadores comienzan a valorar a las escritoras y a reivindicar sus escritos, por las técnicas innovadoras que utilizan y por su gran calidad literaria.

Las autoras hispanoamericanas han ido emergiendo y aparecen en antologías. Sus nombres se escuchan en los congresos y son los temas favoritos de las tesis doctorales. Si damos una mirada a algunos de los textos sobre la literatura boliviana, nos encontramos que con el transcurso de los años, las autoras han ganado un espacio y sus obras se difunden con mayor facilidad que antes. En *Antología del cuento boliviano* (1997), Armando Soriano Badani destaca la cuentística, que abarca desde 1900 hasta 1974 a través de 49 autores representativos, donde, formando parte de la selección, están Yolanda Bedregal de Conitzar (1916-1999) y Adela Zamudio (1854-1928), madre del cuento boliviano, elogiada por la crítica por haber alcanzado un reconocimiento nacional y universal[1]. Según la óptica del antologador: *"Consecuentemente, nuestra tentativa de clasificación deberá ser admitida como simple instrumento convencional, que permita un acceso sistemático al estudio del cuento en Bolivia"* (Soriano 5). Yolanda Bedregal, en *Antología de la poesía boliviana* (1997), cuya primera edición apareció en 1977, inserta en su libro 271 autores, de los cuales un total de 41 son mujeres. Bedregal agrega que "está hecha con la mayor objetividad posible y sin otra discriminación que el valor literario. También se tomó en cuenta la opinión de jurados en concursos nacionales y extranjeros que, en su oportunidad, premiaron ciertas obras" (15). En 1995, La Sociedad de Escritores y Artistas de Santa Cruz publica la antología *Cuentistas cruceños*, gracias al generoso estímulo del industrial y filántropo cruceño Don Ramón Darío Gutiérrez, creador y sostenedor de una Fundación Cultural que lleva su nombre. En esta colección aparecen 35 escritores cruceños, notándose la ausencia de las autoras. Ricardo Pastor Poppe en *Los mejores cuentos bolivianos del siglo XX*, segunda edición, corregida y aumentada (1989), también usa 23 cuentos, únicamente, de escritores

---

1 Para un estudio más amplio de Adela Zamudio ver *La narrativa de Adela Zamudio*, de Willy O. Muñoz, 2003.

varones. Manuel Vargas menciona que su *Antología del cuento boliviano moderno* (1995) nace como una urgente necesidad de autoafirmación, ya que en Bolivia existe una creación literaria auténtica y única (8). En ésta aparecen 6 autoras de un total de 40 escritores. En 1997 el mismo autor publicó *Antología del cuento femenino boliviano*, donde reúne cuentos de veinticuatro escritoras bolivianas que van desde la conocida Adela Zamudio, nacida a mediados del siglo pasado, hasta Solange Behoteguy, nacida en el año 1970 (6). Rosario Santos, en el año 2000, edita la obra *The Fat Man from La Paz* en Inglés, con el propósito que los escritores bolivianos sean reconocidos internacionalmente. En esta colección, Rosario Santos ha incluido escritores nuevos y otros consagrados. El libro contiene las obras de 20 autores bolivianos, de los cuales 6 son mujeres. También es importante destacar el trabajo de Keith John Richards: *Narrativa del trópico boliviano/ Narrative from Tropical Bolivia* (2004), donde de un total de 12 autores, 5 son escritoras. "El antologador ofrece esta antología al lector, con la esperanza que ayude a concientizarlo sobre la realidad de una parte de América Latina, cuya literatura es poco conocida por el público" (25). Es importante mencionar los trabajos de la Revista *Pen Bolivia*. En su número 7, edición inglés-español, aparecen 30 escritores y se les da el espacio a 12 autoras. Revistas como *Digestivo* (vols. 1-3) creada por el grupo de autores *Litera Viva* y *Correveidile*, bajo la dirección de Manuel Vargas, son relevantes para promocionar el nombre de los autores bolivianos mujeres y varones. En la revista *21, Los albores del Siglo XX* (2003), de un total de 7 autores, se encuentran entre las mujeres mencionadas Adela Zamudio (1854-1928) y María Virginia Estensoro (1903-1970). El número 25 *Entre la tradición y la modernidad* (2004) destaca la participación de 6 escritoras de un total de 17 autores participantes. Jorge Suárez en su libro *Taller del cuento nuevo* (1980) reúne textos, "que tenían varios rasgos en común: un cierto desenfado que los alejaba de la retórica tradicional y el humor, esa divina gracia del humor, tan consustancial al espíritu de los habitantes de la narrativa oriental, en Bolivia" (16). Este libro contiene 14 representantes de los cuales 5 son autoras.

El XXXII Concurso de Literatura Franz Tamayo publica el libro *Dueños de la arena y otros cuentos* (2006). La colección tiene 8 cuentos que el jurado consideró sobresalientes desde el punto de vista literario. "Dueños de arena", de Giovanna Rivero Santa Cruz, fue el cuento ganador de dicho concurso. Allí se colocan un total de 8 cuentos de los cuales dos son autoras. *¡A mí qué!* *Cuentos haraganes* (2003) agrupa a 11 autores cruceños, "puesto que, desde la publicación del conocido y famoso libro *Taller del cuento nuevo* de Jorge Suárez, no se ha hecho una edición que aglutine libremente a nuestros escritores" (Fraternidad Haraganes 9). En el 2002 aparece el texto breve *Los mejores cuentistas bolivianos del milenio, vol. 1*, donde se mencionan únicamente a tres cuentistas varones: Wálter Guevara Arze (1912-1996), Raúl Bothelo Gosálvez (1917-2004) y Wálter Montenegro (1912-1991). La labor de Beatriz Kuramoto[2], quien fue presidenta de la Sociedad Cruceña de Escritores, merece mencionarse por su gran trabajo y denuedo para la organización de muchos talleres de narrativa en Bolivia. *Fire from the Andes* (1998), editado y traducido por Susan E. Benner y Kathy S. Leonard presenta la obra de 24 escritoras de Ecuador, Perú y Bolivia. En este texto se da un espacio a 9 escritoras representativas de la literatura boliviana. El trabajo realizado por Kathy S. Leonard es uno de los más completos sobre las poetas y narradoras representativas de

2 Beatriz fue mujer de principios, generosa, solidaria y consciente de que el conocimiento es un bien universal destinado al enriquecimiento de todo quien lo desee. Murió el 24 de octubre de 2004. También enseñó formalmente en talleres literarios organizados en instituciones culturales de la ciudad. Cuando murió todos sus amigos coincidimos en una opinión: "Mujeres como Beatriz se acabaron con Beatriz" (comunicación electrónica con Haydee Vargas).

Bolivia. Como lo menciona en su prólogo: "Es el producto de mis estancias en Bolivia y es una representación de la riqueza literaria que encontré allí" (XIII). En el 2001 la editorial *Peter Land* publica sus dos antologías: *Una revelación desde la escritura: Entrevistas a narradoras bolivianas* y *Una revelación desde la escritura: Entrevistas a poetas bolivianas*, dos volúmenes excelentes que registran los nombres de 24 escritoras bolivianas[3]. Una antología muy valiosa para difundir el cuento boliviano es *Antología de Antologías: Los mejores cuentos de Bolivia* de César Verduguez Gómez. En ella su autor muestra lo mejor que se ha producido desde 1894 con un total de 31 autores; Blanca Elena Paz es la única autora que aparece en el índice del texto. Esta antología ha sido diseñada y elaborada, consultando casi todas las antologías de cuentos y estudios literarios. Su realizador casi no ha tenido que intervenir para escoger los mejores cuentos de Bolivia, éstos se han seleccionado a través de las ciento quince antologías, estudios y páginas web consultadas. Se han tomado en cuenta también, las antologías regionales y las de género y las de especialidades distintas (9). Esta selección contiene una valiosa lista de autores y cuentos (407-422), en donde se incluyen los nombres de muchas autoras bolivianas. Este libro es un estudio encomiable y un buen referente que abre las puertas a la literatura de las autoras que siguen emergiendo en Bolivia. Los libros mencionados no son todos los que han agrupado a los au-

---

3 Entre las poetas se destaca los nombres de: Yolanda Bedregal (La Paz, 1916); Alcira Cardona Torrico (Oruro, 1926); Matilde Casazola Mendoza (Sucre, 1943); Gladys Dávalos Arze (Oruro, 1950); Mery Flores Saavedra (La Paz, 1935); Blanca Garnica (Cochabamba, 1944); Norma Mayorga de Villarroel (La Paz, 1950); María Soledad Quiroga (Chile, 1957); Rosario Quiroga de Urquieta (Cochabamba, 1950); Mónica Velásquez Guzmán (La Paz, 1972) y Blanca Wiethüchter (La Paz, 1947). El volumen dedicado a las narradoras menciona los nombres de: Virginia Ayllón Soria (La Paz, 1958); Velia Calvimontes Salinas (Cochabamba, 1935); Patricia Collazos Bascopé (La Paz, 1951); Elsa Dorado de Revilla (Oruro, 1931); Beatriz Kuramoto (Santa Cruz, 1954); Beatriz Loayza Millán (La Paz, 1953); Rosa Melgar de Ipiña (Beni, 1910); Blanca Elena Paz (Santa Cruz, 1953); Martha Peña de Rodríguez (Santa Cruz); Giovanna Rivero Santa Cruz (Santa Cruz, 1972); Roxana Sélum (Beni, 1959); Alison Spedding (Inglaterra, 1962) y Gaby Vallejo Canedo (Cochabamba, 1941).

tores bolivianos[4], sin embargo es una buena selección para mostrar que las autoras sí están produciendo importantes obras en Bolivia.

En esta ocasión me he embarcado en la misión de dialogar con una selección de autoras, mediante la entrevista semidirigida[5], y descubrir a través de un parámetro de preguntas lo que opinan las autoras sobre su obra, y también aspectos relacionados con el quehacer literario. Uno de mis objetivos fue obtener la información de las autoras, que sea de interés general y del público. Asimismo, con ésta, llenar los blancos de los estudios sobre las autoras bolivianas, haciendo preguntas desde lo general a lo particular, de sus obras. Mi objetivo, además de acercarme a las autoras bolivianas a través de sus obras literarias, fue conocerlas personalmente, para enriquecer mi experiencia, al mismo tiempo que recibía una versión auténtica de la fuente directa. La opinión de las autoras es tan válida como la de los críticos, y un empalme de éstos, enriquece los estudios críticos. No hay ninguna duda de que la voz del escritor es valiosa y necesaria, para entender el inimaginable mundo que crean y nos recrean en sus textos. La interacción del lector-escritor es tan valiosa como la del texto-receptor. Para Erika Bruzonic, el acto de la escritura es el resultado de una larga práctica, al mismo tiempo que se convierte en una necesidad y difícil de definir lo que es. Ella anota que el ejercicio de la escritura es un acto de creación y agrega que quienes escriben lo que les cuentan son transcriptores y no escritores. Liliana de la Quintana ve el escribir como un acto de libertad y de gran responsabilidad. Catherine López Rosse al escribir se reinventa a sí misma, reinventa su mundo y todos los recuerdos. Isabel

---

4 Para un estudio de obras y autores bolivianos, autores extranjeros, obras y cuentos en otros idiomas y selecciones de páginas web sobre literatura boliviana, véase la lista de autores incluida en *Antología de Antologías* de César Verduguez Gómez.
5 Ver prólogo de *Escritoras venezolanas de hoy* (2005).

Mesa de Inchauste comenta que escribir es un disfrute y un deleite total. A Ximena Arnal le interesa la escritura en sí y las palabras. Blanca Elena Paz prefiere buscar la soledad, para realizar esta actividad creativa y racional. María Soledad Quiroga no comparte con los escritores que piensan que el escribir implica una dosis de sufrimiento. Al contrario, para ella, la tarea del escribir es muy placentera. Para otras autoras bolivianas el acto de escribir es un escape liberador, vital y una comunión con el mundo. Un acto de desahogo ante el mundo y la mejor forma para estar entre los demás, como lo indica Emma Villazón Richter.

De todas las escritoras entrevistadas, la mayoría reiteró que no existe una diferencia entre escritura femenina y masculina, sin embargo hay una empatía para trabajar a partir de voces femeninas, como lo expresa Blanca Elena Paz. Otras, mencionan que la literatura no tiene género y no desean que se las encasille. Por otro lado, Centa Reck afirma que sí existe una diferencia entre escritura femenina y masculina, aunque se están negando las cosas. Giovanna Rivero de Santa Cruz asevera que sí existe y esta diferencia puede tratarse de un ciclo. Para Gaby Vallejo la diferencia también está allí. Otras autoras mencionaron que lo que existe es buena o mala literatura. Somos dos naturalezas diferentes, y hay una diferencia entre mirada masculina y femenina, pero a la vez, una gran sensibilidad de ambas partes, concluye Liliana de la Quintana.

Al igual que la crítica y muchas escritoras hispano-americanas, en cuanto a si existe una diferencia entre escritura femenina y masculina, las autoras bolivianas tampoco coinciden en sus opiniones. Según la óptica de Biruté Ciplijauskaité, *En la novela femenina contemporánea (1970-1985): Hacia una tipología de la narración en primera persona*: "Al llegar a la hora de pronunciarse sobre si existe o no un estilo decididamente femenino —tema de numerosas en-

cuestas de números enteros de revistas, de monografías—
hay que admitir con humildad que la cuestión queda abierta: abierta como el libro que la mujer está escribiendo"[6].

Los espacios verdes y el de la biblioteca fueron aspectos que me interesó durante mi plática con las autoras, y el
tratamiento de éstos en sus obras. Es notorio que las autoras
se identifican con ambos espacios, aunque estos no necesariamente aparezcan en sus obras. Las autoras paceñas,
a diferencia de las cruceñas, recrean menos en sus obras la
naturaleza verde. La región donde nacieron o crecieron las
autoras llega a formar parte de su identidad y a tener cierta
influencia en sus escritos. Así, Centa Reck recrea el espacio
verde en sus obras, porque por naturaleza tenemos una conexión con la parte cósmica. Giovanna Rivero Santa Cruz,
también considera que tiene una veta naturalista, y lo verde
representa el espacio en donde ha nacido Santa Cruz. Gigia
Talarico resalta que Santa Cruz la amarra y la cobija con la
belleza salvaje de su naturaleza. Para Liliana de la Quintana,
la naturaleza es esencial dentro de sus mitos. Ésta es la madre, la que enseña, la que da, la que protege y la que castiga.
Guiomar Arandia es más urbana y la ciudad forma parte de
sus obras como una protagonista. Erika Bruzonic señala que,
aunque el espacio verde es parte de su trabajo, el lugar que
mejor conoce y donde se desenvuelve mejor, es la ciudad.
Mientras que para Isabel Mesa de Inchauste, su literatura
es un patrimonio cultural, y recrea lo verde en algunos de
sus textos; Catherine López Rosse asevera que mucha gente
escribe sobre la ciudad de La Paz y la ven como algo abierto.
Para ella la ciudad es algo cerrado. Según la opinión de algunos críticos, el jardín y lo verde está conectado con lo femenino. Ileana Rodríguez, hablando de *Jardín*, de la cubana Dulce

---

6 Biruté Ciplijauskaité, la novela femenina contemporánea (1970-1985): hacia una tipología
de la narración en primera persona, Antropos, Barcelona, 1988. 224.

María Loynaz, expresa: "El jardín es una representación femenina del espacio femenino [...] La mujer quiere descubrir su propio sentido en el jardín. El jardín es, entonces, el
laboratorio, un gabinete y la mujer una experimentadora"[7].
Según la óptica de Annis Pratt en *Archetypal Patterns in
Women's Fiction* la heroína tiende a mirar sus momentos
de epifanía en sus recuerdos del espacio verde. "La importancia de esa identificación con la naturaleza está ilustrada
por su recurrencia persistente de ésta en sus escritos" (17).
El espacio verde es más recurrente en las autoras de Santa
Cruz, por estar conectada con su espacio geográfico. Ximena
Arnal se centra más en la ciudad de La paz, sus montañas y
su entorno. Ella presenta a La Paz, como un escenario teatral
y un espectáculo en su totalidad con sus cortinas, luces, etc.
Mónica Velásquez concluye: "Como buena paceña, el verde
me asombra y me asusta".

Las autoras hablan de la biblioteca y de los libros como
un sitio privilegiado, agradable y silencioso, donde uno puede quedarse tranquilo y confiar en los textos, anota Moira
Bailey. Guiomar Arandia, considera el ámbito de los libros
y de la biblioteca como un espacio íntimo, en donde éstos la
transportan en tiempo y en espacio. La biblioteca representa
para Gladys Dávalos Arze, un lugar de paz, donde se puede
expresar sus sentimientos más íntimos, es decir, como un
santuario. Liliana de la Quintana habla que la biblioteca
es un recurso para aumentar el conocimiento. En su obra
aparece siempre el anciano, como referencia a esa sabiduría. Catherine López Rosse siente que los libros son muchos
imaginarios y es muy importante y vital, visitarlos siempre.
Isabel Mesa de Inchauste agrega que no concibe una casa
sin biblioteca. La biblioteca es un mundo maravilloso. Centa

---

7 *Ileana Rodríguez, House Garden Nation: Space, Gender, and Ethnicity in Postcolonial Latin American Literaturas by Women*, Duke University Press, Dirham, 1994. 92.

Reck corrobora lo que dice Mesa de Inchauste cuando afirma que la biblioteca es un mundo cifrado y enigmático. Konsuelo Villalobos siente que este lugar de los libros es el estímulo para vivir, viajar, investigar, reflexionar y descubrir. Para María Soledad Quiroga y Giovanna Rivero Santa Cruz, la biblioteca es un lugar agradable para escribir por muchas horas, su hábitat y espacio preferencial. Ximena Arnal manifiesta que los libros representan todo para ella, los tiene siempre a su lado y son sus interlocutores. Blanca Elena Paz define a la biblioteca como el cerebro y el corazón de la especie humana y que nunca será un espacio rígido ni frío. Efectivamente, la biblioteca es el lugar de refugio y de aprendizaje. Un espacio en donde podemos trascender del mundo y encontrarnos con nosotros mismos. La biblioteca y los libros crean e inventan mundos en el individuo. Es ese espacio vital y el laboratorio para ganar conocimiento sin importar la edad.

La mayoría de las escritoras bolivianas sienten que ser mujer y escritora en Bolivia es una posibilidad y un reto que las coloca en las mismas condiciones que las de los varones. Gigia Talarico comenta que como mujer hay que pelear los derechos en todos los campos, y como escritoras lo más difícil es la sobrevivencia. Algunas se sienten privilegiadas, ya que como mujeres tienen un mundo muy rico para compartir. Guiomar Arandia piensa que tanto para el hombre como para la mujer, las élites literarias siempre existieron y van a existir. Giovanna Rivero de Santa Cruz precisa que ser mujer y escritora en Bolivia tiene sus ventajas y desventajas, y tiene que ver con que Bolivia es un país latinoamericano, con una industria editorial que se encuentra en desarrollo. Gaby Vallejo recalca que el ser mujer y escritora representa un sitio, los escritores varones —con excepciones— nos aceptan y valoran, agrega. Blanca Elena Paz dice que ser mujer y escritora en Bolivia es una infracción, aunque cada día son más las escritoras que van emergiendo.

Para las autoras bolivianas el vivir en un mundo globalizado representa un fenómeno que implica desafíos, una apuesta en contra del anonimato y del silencio poderoso. Gracias a este fenómeno actual las naciones se están integrando en la comunicación, el comercio y la literatura. Una forma de trascender el escenario regional es a través de la literatura. La globalización representa un reto múltiple que es preciso sufrir como sociedad. No se puede temer a la globalización en aspectos culturales, asevera Moira Bailey. Otras escritoras le temen a ésta en cuanto a lo económico y no les gusta mucho, lo consideran un cliché o prefieren no hablar de eso. La globalización es algo vigente que ha afectado a todas las profesiones, y la literatura no es la excepción, como lo anota Isabel Mesa de Inchauste.

Después de leer las obras de las autoras: novela, cuento, ensayo teatro, etc. y platicar con ellas, puedo concluir que las autoras siguen escribiendo textos representativos de la literatura boliviana e hispanoamericana. En sus obras están presentes una gama de temas y aspectos como el ritual urbano, las mujeres y los espacios, la soledad y la reflexión, la memoria, lo andino, la recuperación de los mitos, la ciudad, la vejez, el amor, la muerte, el psicoanálisis y el machismo, entre otros. Aunque algunas coinciden que tienen el mismo tratamiento, para los personajes femeninos como para los masculinos, sus personajes mujeres tienen una voz preferencial y no construyen tanto al masculino. Según la óptica de Giovanna Rivero Santa Cruz, los personajes femeninos fluyen con mayor naturalidad. Emma Villazón agrega que ella trata de expresar la voz femenina en su poesía. Erika Bruzonic siente que a veces trata con arquetipos, y sus personajes femeninos o masculinos lo conforman muchos "alguien". Isabel Mesa de Inchauste al principio se centró en los sujetos masculinos, pero luego rescata al personaje femenino rebelde, que se impone al varón y no se dejan vencer ante los obstáculos.

Escritoras bolivianas de hoy tal vez suene como un título ambiguo, abarcador e imposible de satisfacer las expectativas que me propongo. Antes de culminar este proyecto tuve la ocasión de platicar y ponerme en contacto con las autoras bolivianas, después de haber leído algunas o todas sus obras. Tengo que reconocer que hay omisión de nombres relevantes dentro de este grupo, que no incluyo por falta de espacio, circunstancias especiales, y por no haber tenido acceso directo a ellas, como es el caso de Mónica Velásquez, la reconocida escritora Marcela Gutiérrez, dueña de Bocaisapo, en la Paz, o escritoras desaparecidas que no tuve la oportunidad de conocerlas, como Beatriz Kuramoto Medina. Bolivia también cuenta con escritoras que están emergiendo, como Pamela Nicole Santa Cruz Melgarejo (Cochabamba, 1989) que obtuvo a sus 15 años el Segundo Premio en el II Concurso Departamental de Ensayo COMTECO. Todavía queda mucho por investigar, sin embargo, esta iniciativa sirve para que cada día se vaya incluyendo más la voz femenina boliviana y las autoras sean conocidas nacional e internacionalmente. Este libro intenta destacar un grupo representativo de la literatura escritas por mujeres bolivianas y servir de estímulo para entrar en el estudio de las autoras *sine qua non*, para entender la literatura escrita por las bolivianas. Dentro de las escritoras seleccionadas, figuran mujeres de La Paz, Santa Cruz, Oruro, El Chaco, Cochabamba, y escritoras que, aunque nacieron fuera de Bolivia viven mucho tiempo en ese país que las recibió con los brazos abiertos. He entrevistado desde autoras consagradas, como Gaby Vallejo Canedo hasta otras más jóvenes, que han mostrado mucho talento en la escritura, como es el caso de Emma Villazón Richter, quien obtuvo el Primer Premio Nacional de Noveles Escritores en Poesía, en el 2007.

Desde el 2006 me embarqué en la tarea de entrevistar a las escritoras de Bolivia y compartir con el mundo literario las voces bolivianas. Entrevisté a 20 escritoras representativas de dicho país, con el propósito de conocer a través de sus propias palabras, su punto de vista de sus obras y del quehacer literario que han escogido. En cierta manera, *Escritoras bolivianas de hoy*, es un tributo a aquellas mujeres que gracias a su talento y con sus libros forman parte de nuestras letras hispanoamericanas. Entre las entrevistadas figuran: Guiomar Arandia, Ximena Arnal, Virginia Aillón, Moira Bailey, Erika Bruzonic, Gladys Dávalos Arze, Liliana de la Quintana, Katherina López Rosse, Isabel Mesa de Inchauste, Blanca Elena Paz, María Isabel Quiroga, Centa Reck, Giovanna Rivero Santa Cruz, Gigia Talarico, Gaby Vallejo Canedo, Haydee Vargas, Mónica Velásquez, Konzuelo Villalobos y Emma Villazón Richter.

Mi propósito, además de conocer a las autoras a través de su producción literaria, fue el de conocerlas personalmente e incrementar mi conocimiento y mi experiencia a través de sus anécdotas, experiencias y sobretodo recibir una versión de la fuente directa.

Este libro no hubiera sido posible sin la ayuda de Rosario Santos, primer contacto para mi investigación, y el de todas las autoras entrevistadas, quienes me brindaron su apoyo. El libro consta de una recopilación de veinte entrevistas con las autoras bolivianas y un estudio crítico que las acompaña. Quisiera agradecer a Ernesto González y a Klaudia Cabezas, por su valiosa ayuda con los primeros borradores de algunas de las transcripciones. Quisiera expresar mi agradecimiento al Sr. Edgar Lora Gumiel y al Comité de la Editorial La Hoguera, por considerar mi proyecto relevante para la difusión de las autoras bolivianas. Asimismo, este trabajo no hubiera sido realizado sin el apoyo de la Facultad de Humanidades de la Universidad de Brigham Young y de todas las personas que han hecho posible esta publicación.

Obras citadas y consultadas

Baptista Gumucio, Mariano. *Bolivia escribe*. La Paz: Los amigos del libro, 1976.

Bedregal, Yolanda. *Antología de la poesía boliviana*. Cochabamba: Los Amigos del Libro, 1997.

Benner, Susan E. and Kathy S. Leonard. *Fire From The Andes: Short Fiction by Women from Bolivia, Ecuador and Perú*. Albuquerque: University of New Mexico Press, 1998.

Concurso de Literatura Franz Tamayo. *Dueños de la arena y otros cuentos*. La Paz: Editorial Gente Común, 2006.

Diez de Medina, Fernando. *Literatura boliviana*. La Paz: Los Amigos del Libro. 1980.

Digestivo. Vol. 1. Bolivia: Litera Viva, (1996).

---. Vol. 2. Bolivia: *Litera Viva*. 2 (1996).

---. Vol.3. Bolivia: *Litera Viva*. 3 (1996).

Fraternidad Haraganes. *¡A mí qué! Cuentos haraganes*. Santa Cruz de la Sierra: La Hoguera, 2003.

John Richards, Keith. *Narrativa del trópico boliviano/ Narrative From Tropical Bolivia*. Santa Cruz: La Hoguera, 2004.

Leonard, Kathy S. *Una revelación desde la escritura: Entrevistas a poetas bolivianas*. New York: Peter Lang, 2001.

---. *Una revelación desde la escritura: Entrevistas a narradoras bolivianas*. New York: Peter Lang, 2001.

Letras de Babel 3. *Antología multilingüe.* Montevideo: Abrace Editora, 2007.

Muñoz O. Willy. *La narrativa de Adela Zamudio.* Bolivia: Editorial La Hoguera, 2003.

Ortega, José. *Narrativa boliviana del siglo XX.* La Paz: Los amigos del libro, 1984.

✓ Oscreve, Fredy. *Los mejores cuentistas bolivianos del milenio.* Vol. 1. La Paz: Editorial América, 2002.

Pastor Poppe, Ricardo. *Los mejores cuentos bolivianos del siglo XX.* La Paz: Editorial Los Amigos del Libro, 1989.

Pratt, Annis. *Archetypal Patterns in Women's Fiction.* Bloomington: University of Indiana P, 1977.

Santa Cruz Melgarejo, Pamela Nicole. *Entre el vértigo y la asfixia.* Cochabamba: Talleres Gráficos KIPUS, 2007.

Revista *Pen Bolivia Número 7.* Santa Cruz: La Hoguera Editorial, 2004. Santos, Rosario. *The Fat Man From La Paz.* Intr. by Javier Sanjinés. New York: Seven Stories Press, 2000.

Soriano Badani, Armando. *Antología del cuento boliviano.* La Paz: Editorial LosAmigos del Libro, 1997.

Suárez, Jorge. *Taller del cuento nuevo.* Santa Cruz: Mercurio S.R.L., 1986.

Vargas, Manuel. *Antología del cuento femenino boliviano.* La Paz: Editorial Los Amigos del Libro, 1997.

---. *Antología del cuento boliviano moderno.* La Paz: Editorial Acción, 1995.

---. *Correveidile: Los Albores del siglo 20. Revista Boliviana de Cuento.* 21(2003).

---. *Correveidile: Los años del quiebre. Revista Boliviana de Cuento.* 21(2003).

---. *Correveidile: Frustraciones y Utopías. Revista Boliviana de Cuento.* 21(2003).

---. *Correveidile: Los rostros de la violencia. Revista Boliviana de Cuento.* 21(2003).

---. Correveidile. *Entre la tradición y la modernidad. Revista Boliviana de Cuento.* 21(2003).

Verduguéz Gómez, César. *Antología de antologías: Los mejores cuentos de Bolivia*: Editorial La Hoguera, 2004.

Sociedad de Escritores y Artistas de Santa Cruz. *Cuentistas cruceños*. La Paz: Editorial Juventud, 1995.

Guiomar Arandia

I. Reseña biográfica

Nació en La Paz (Bolivia). Tiene muchas publicaciones inéditas y un libro de cuentos, próximo a publicarse, titulado *Profilaxis City*. Sus géneros trabajados son: el drama y el cuento. Tiene cuentos publicados en antologías como *La otra mirada* (Ed. Santillana), y en dos números de la revista boliviana de cuento *Correveidile*. Las 15 obras dramáticas que ha escrito no están publicadas, sin embargo, han sido representadas. Entre sus obras teatrales escritas y guionizadas: *Improvisación Inconclusa* (1995), *No nos vamos del todo* (1995), *El Circo* (1996), *Mariel* (1997), *Tras el Muro* (1998, en colaboración con Roxana Mayta), *Chuquiago: modelo para desarmar* (1998), *EVA* (performance, 1999), *Espera* (2000), *Todo en familia* (2000), *A fuego lento* (2001), *La Vaca* (2002), *La Carmencita* (2005), *Miseria* (2006), *Un nuevo sol* (2006) y *Más que coca* (2006).

II. Entrevista

MG: ¿Cuándo empezaste a escribir?

GA: Escribo de forma muy informal desde los 8, 9 años. He tenido un acercamiento muy íntimo con el arte y la imagen desde mis 4 años, por la danza, lo que me ha permitido enamorarme de los escenarios y escribir algunas de mis experiencias en ellos, en una especie de diario. Mi madre encontró unos cuadernos con algunos de mis escritos; ella me regalaba sus agendas pasadas y yo escribía. Este material me ha servido para escribir algunos cuentos. Empiezo a escribir, se podría decir formalmente, a los 17 años; en el colegio ya empecé con las piezas dramáticas.

He adaptado al teatro muchos cuentos bolivianos, quizás porque admiro las obras de sus autores. Alguna vez alguien me dijo que soy la versión femenina de Adolfo Cárdenas; definitivamente acepto la influencia.

Tengo alrededor de quince obras propias y seis o siete adaptaciones. Lo que no tengo es la publicación de las obras, y en algunos casos, ni los originales, como *Mariel*, una obra de teatro que escribí y representé en 1997 y tenía el original escrito a máquina, el cual se perdió y sólo conservo las dos primeras hojas. A pesar de que tengo obra dramática escrita y representada, me conocen más como narradora.

MG: ¿Has estudiado teatro y técnicas de representación?

GA: He pasado por muchos talleres de teatro. Tengo una formación muy fragmentada pero muy enriquecedora; sin embargo, toda esta gama de propuestas que he ido visitando a lo largo de mi formación, ha hecho que elabore mi propio modo de encarar la dramaturgia y el teatro en sí, para proponer desde mi propia experiencia y búsqueda personal. Debo confesar, sin embargo, que han habido dos talleres que han marcado muchísimo mi proceso, uno del "Teatro de la Radicci" y otro dictado por Philippe Bizot. No me pierdo los espectáculos de teatro, ni dejo de leer obras. Espectáculo que se presenta y me llama la atención, lo veo.

MG: ¿Cuántas piezas de teatro has escrito?
GA: Tengo escritas 15 obras. *Chuquiago: modelo para desarmar* es una de las obras que ha obtenido premios y pienso que es la obra más interesante.

MG: Háblame de Chuquiago.
MG: La dramaturgia es mía, pero utilizo poemas de Jaime Nisthauz, poeta boliviano y Edgar Arandia. Trata de un ritual urbano que consiste en enterrar a seres humanos —normalmente indigentes, alcohólicos— para que las grandes construcciones no se vengan abajo. Una práctica muy usual es ofrecer "sullus" —que son los fetos de las llamas— a la Pachamama (madre tierra) para agradecer o pedir bondades, luego a estos "sullus" se los entierra; con las grandes edificaciones. Son seres humanos que son enterrados para obtener a cambio la durabilidad y sostenibilidad del edificio.

La obra tiene como personaje central a Tomás, un indigente que tiene como pareja a una vieja ex prostituta, que también vive en las calles. Tomás conoce a un ayudante de arquitecto, quien con engaños, aprovechando una fiesta popular, que es el "Gran Poder", lo embriaga y finalmente conduce a la construcción para enterrarlo. Al final, hay una especie de quiebre paralelo, en el momento en que se entierra a Tomás y la pareja queda sola.

MG: ¿Es la presencia de lo andino una constante importante en tu obra?
GA: Existe la presencia de un elemento andino urbano, específicamente la asimilación de lo andino en las urbes. Lo andino influye en la vida rutinaria y enajenada de las ciudades. En una parte de la obra *Chuquiago: modelo para desarmar*

se representa la fiesta del "Gran Poder", que es precisamente una mezcla entre la tradición judeocristiana y las prácticas andinas.

MG: En tus 15 obras de teatro que has escrito, ¿cuál sería la columna vertebral?

GA: Mi dramaturgia y mi obra en general es muy urbana, y al serlo, rescata mi propio imaginario. En mi obra evidentemente influye la cultura andina; muchas veces, en ese afán por ser más universales, se trata de escapar de esta realidad y se piensa que no es trascendente en una vida urbana, llena de ideas desarrollistas, yo no pienso eso. Muchas de mis obras encaran historias que muestran personajes urbanos, plagados de cargas culturales heterogéneas. Al margen de ello, una temática que quizás trasciende mi obra, es la muerte, me parece que es un referente muy importante. Tengo otra obra de teatro, *Tras el muro*, que trabaja la temática de Todos Santos; al igual que en la cultura andina, la idea de la muerte en muchos sectores de las ciudades sigue siendo circular y siempre se piensa en el retorno. En esta fiesta uno recibe a sus muertos en un ritual, en el cual se presume su presencia, incluso física, al preparar comida y panes de formas diversas y simbologías variadas. Los muertos vienen a compartir con los vivos, vienen a disfrutar de sus comidas favoritas. Pasado el dos de noviembre, se van, pero vuelven el año siguiente.

MG: ¿Dónde se han representado tus obras?

GA: Las obras han sido representadas, básicamente en la ciudad de La Paz, en Oruro, Cochabamba, Santa Cruz y el área rural, en calles y teatros. En las áreas rurales me gusta mucho representar las obras, porque se genera mucha polémica y diálogo. Es muy lindo trabajar en lugares donde el acceso al arte es limitado o nulo; conciben la realidad, desde un punto de vista distinto. La frontera entre la realidad y la ficción es totalmente endeble en el área rural, precisamente porque sus mitos y ritos deambulan en ese devenir constante.

MG: ¿Has dirigido alguna de las obras?
GA: He dirigido todas las obras. Tengo un grupo de teatro llamado "Patas Arriba" desde 1994. Con este grupo hemos tenido experiencias colectivas, interesantes, de las cuales han derivado obras que han partido de una idea original mía y que se han desarrollado a partir de la propuesta de improvisación de los actores, para retornar a mis manos al momento de guionizar. Obras como *El circo (1996), La vaca (2002)* y *Más-que coca (2006)* tienen ese proceso.

MG: ¿Has pensado reunir las obras en un libro o libros? ¿Qué tiempo de duración tienen?
GA: La mayoría de las obras son cortas; todas las obras que he escrito son en un acto. No son de mi preferencia las obras que tienen dos actos, porque se suele cerrar el telón, y eso crea una distancia espacial y temporal con la historia contada. Me gusta que la progresión dramática tenga un proceso real, incluso en la relación con el público. Tengo todo el material para publicar la obra dramática, quizás la tarea ahora sea conseguir la casa editorial. Es un objetivo pendiente.

MG: Háblame de tu obra **Un nuevo sol.**
GA: Es una obra totalmente andina, incorpora el saber ancestral, tras el personaje de un Yatiri, que enfrenta a su nieta al conocimiento de sí misma, a través de la búsqueda de su identidad. Tiene una duración aproximada de una hora y media; en la puesta en escena que hicimos incorporamos fragmentos de danza-teatro.

MG: ¿Qué representa para ti el teatro?
GA: El teatro es mi vida. Definitivamente yo comencé
el teatro no muy joven, porque no tuve acceso, pero hubiese
querido hacerlo. Para mí, el teatro es la representación de la
vida y la posibilidad de conocerla desde sus distintos personajes. El teatro te brinda la posibilidad de mirar más allá de
lo evidente, de ser más contemplativo con tu entorno, y por
consiguiente, de ser más abierto a tu entorno; permite un contacto directo con la gente, posibilita al diálogo y al debate.

Soy una escritora nocturna y de amanecida. La noche
y la madrugada son espacios de tranquilidad y reflexión. El
día es muy movido, pero a partir de las 10 de la noche para
adelante es muy solazado para mí, y es el momento en que
trabajo. Me seducen mucho las imágenes. Cuando algo me
llama la atención, inmediatamente voy a casa y lo escribo.
Siempre me fijo en personajes, especialmente aquellos que
no son cotidianos. El acto de la escritura es un sentido y modo de vida. No concibo mi vida si no escribo y hago teatro.

MG: ¿Cómo desarrollas a tus personajes? ¿Tienes el
mismo tratamiento para tus personajes femeninos o mas-
culinos? ¿Cuáles predominan en tu obra?
GA: En mi obra predominan, más los personajes masculinos. Los femeninos también aparecen, pero no los pro-
fundizo tanto, porque pienso que los conozco más, quizás
sea por eso que tengo más trabajo con los masculinos. Un
personaje mío es un *collage* de todo lo que admiro en muchos
otros personajes, y en el proceso de escritura, mis personajes
se vuelven autónomos, cobran vida propia y se rebelan.

MG: ¿Cuál es tu posición en cuanto a si existe escritura
femenina y masculina?
GA: Puedo mirar la escritura femenina en el sentido
biológico. Yo soy mujer y definitivamente voy a escribir des-

de un cuerpo de mujer y hasta una mirada de mujer, sin embargo, no creo que exista una literatura femenina y otra masculina. Sí comparto la idea de que para ciertas publicaciones se piense en la unidad. Cuando me publican en la *Otra Mirada: Antología de la literatura femenina* a partir del hecho de ser escritora mujer, acepto, porque es un criterio válido para los antologadores, pero lo que no comparto es que se piense que todas las autoras mujeres escribimos sobre un determinado tema, o se nos encasille en parámetros.

MG: *¿Aparece el espacio verde, bosque, jardín, la selva, en tus obras?*

GA: No en la mayoría, quizás en *El Circo*. En esta obra hay un león enjaulado que sueña con ser liberado y regresar a su hábitat natural. Soy muy urbana para escribir, estoy rodeada de cemento, aire contaminado y gente que corre como autómata, sin mirar a su alrededor. Podría decir que en mi escritura la ciudad es la protagonista.

MG: *¿Aparecen los libros y el espacio de la biblioteca en tu obra?*

GA: Hay un cuento que tengo titulado "Dicotomías" que no está publicado. Es una mujer que mientras pinta un cuadro y lee una novela erótica, piensa en su rutinaria vida de pareja; paralela a esta imagen se tiene el monólogo de su pareja que también piensa en ella. Finalmente, sus historias se mezclan y se convierten en la escena del cuadro pintado por la mujer. Este cuento presenta espacios inicialmente separados, con monólogos independientes: ...Él/Ella/Él... muy teatrales, y culmina con la mezcla de todo: los monólogos, el contenido que lee la mujer y el cuadro que evoca otro espacio ajeno a ambos desde donde "alguien" mira.

MG: ¿Qué representa la biblioteca y los libros para ti?
GA: Es un espacio definitivamente íntimo, un contacto directo con el mundo. Me gusta mucho el contacto, soy un poco fetichista con el libro como objeto mismo, odio las fotocopias. Me gusta el libro físicamente; no es lo mismo leer una novela en una computadora bajada de Internet, que en un libro impreso. Por eso me gustan las bibliotecas, el recoveco de las bibliotecas, sus espacios ocultos y la cantidad de historias que ocultan. El olor a los libros viejos es seductor, son una serie de cosas que te transportan en tiempo y espacio.

MG: ¿Qué esperas de tu público, al representar tus obras y de tus lectores al leer tus cuentos?
GA: Siempre he pensado que la obra literaria te ayuda a vivir, en el sentido que te brinda la posibilidad de explorar otros mundos; la literatura, a mi juicio, no debería escribirse para la crítica como usualmente se estila, sino para todos. Me gusta mucho divertirme al escribir, y lo mismo espero en mis lectores. Con las obras de teatro busco que mi público salga con una pregunta en la cabeza más que con respuestas, el teatro es la mejor arma para comunicar discursos y posiciones ideológicas. Trabajo con el humor, el mundo necesita reír para después poder pensar; con la narrativa y el teatro busco eso. Respecto a los personajes, los muestro desde su realidad y los develo desde su intimidad, desde su ser mismo.

MG: ¿Qué representa ser escritora y mujer en este momento en Bolivia?
GA: Es bien interesante el proceso que ha ido siguiendo la escritura de mujeres, y no sólo en el ámbito literario, sino en la sociedad en general. Los discursos han ido cambiando; a tanto ha llegado el discurso feminista que si bien antes no podías acceder a un trabajo por ser mujer, ahora, con la tan difundida "equidad de género", se ha abierto las

puertas y hasta se han roto los cerrojos. Es anecdótico, antes nos quejábamos las mujeres, ahora se quejan los hombres de que no los tomen en cuenta. Lo que sí está pasando actualmente es que hay una especie de "encasillamiento", en la idea de la producción femenina; muchos antologadores o editores tienen algunos paradigmas de escritura, que las escritoras cumplirían, y se guían en esa idea para poderlas publicar; normalmente estos paradigmas deambulan por el erotismo, visto desde el lente femenino, las relaciones de pareja y la vida cotidiana femenina.

Ahora, respecto a la situación del escritor en general (hombre, mujer u otro) pienso que no ha cambiado mucho; las élites literarias siempre existieron y siempre van a existir y se seguirán transmitiendo por herencia, es algo con lo que hay que empezar a pelear, y el mejor modo es a través de nuestros propios lectores.

MG: ¿En qué proyectos estás trabajando?

GA: Estoy trabajando en un proyecto vinculado a representaciones callejeras, porque es el mejor modo de llegar de forma directa al público, a través de una intervención o irrupción espontánea. Otro proyecto importante, en el cual vengo trabajando bastantes meses atrás, tiene que ver con la publicación de mi primer libro de cuentos, titulado *Profilaxis city*, y el libro de obras teatrales, que pretende reseñar la trayectoria de mi grupo de teatro, paralelamente a la obra.

Respecto al teatro hay varios proyectos, entre los más importantes se encuentra la producción de la obra *Nostalgias*, en proceso de escritura; también el *Pacto Telúrico*, que es un proyecto multidisciplinario que año tras año produce una obra teatral, que permite leer la realidad social actual, paralelamente a la historia de Bolivia; la producción de propuestas teatrales con el colectivo "Las Divas", un grupo "trans" que pretende reivindicar las diversidades sexuales es, de igual forma, un objetivo.

Ximena Arnal Frank

I. Reseña biográfica

Nació en la Paz (Bolivia) en 1959. Estudió literatura en Montpellier (Francia). Fue editora de las revista de espacios y escritura *Piedra libre*. Ha sido incluida en antologías: *Cuentistas hispanoamericanas, Antología del cuento femenino boliviano, The Fat Man From La Paz*. Entre sus obras se cuentan: *Visiones de un espacio* (1994), *Las opalinas* (1997) y *Tres mujeres en invierno* (2000).

II. Entrevista

MG: ¿Cómo fue tu formación literaria? ¿Cuándo comenzaste a escribir?

XA: Escribí a una edad temprana. Antes no parecía normal cuando alguien escribía de chica. Eso era visto como algo anormal. Y después escribí poesía lírica en la adolescencia. Luego me casé y me fui a Europa, y ahí estudié literatura en Montpellier.

MG: ¿Cuánto tiempo viviste en Europa?

XA: He estado en Europa muchas veces, en la primera etapa del matrimonio, en España, y de ahí en Montpellier. Ahí empecé la carrera durante el golpe de estado de García Meza. Y de ahí nos fuimos. La universidad estaba cerrada y no podíamos sacar las cosas. España tenía un sistema muy escolar y de ahí nos fuimos a Francia. Posteriormente entré a la universidad, hice algo que se llama la licenciatura y de ahí nos vinimos para La Paz. Desde entonces empecé a escribir, más que a publicar, algunos suplementos, algunos artículos de literatura, hasta que me decidí a escribir libros. En París hice un libro *Las hortalizas*. Trabajaba para la cooperación francesa y escribía en cualquier lado. Escribí mi primera novela. Siempre sobre el espacio de La Paz.

MG: A pesar de que has vivido fuera de Bolivia, siempre recreas el espacio de La Paz.

XA: Siempre. Y más o menos es el mismo tipo de escritura. Es la misma temática y voy andando en lo mismo. Es una literatura de espacios, de atmósfera, no hay acción, pasan cosas. No es la típica literatura de acción y de personajes.

MG: *Algunas de tus obras hablan del proceso creativo y de la lucha con la palabra, como ocurre en* **Visiones de un espacio.**
XA: Es difícil para el escritor ver todo lo que sale de uno. Yo creo que puede haber mucho de eso en "Mesi", que es el primer cuento que yo he escrito con la voluntad de iniciar un libro. Entonces sí. Creo que hay todo eso y es el inicio para mí de otro tipo de literatura. La escritura que me interesa y que me he propuesto hacer. Una figura aquí un poco densa o interior. Pero no en el sentido minimalista. Nada de contar los detalles, o sea hay detalles, pero más bien de densidad y de palabra.

MG: *En tu obra aparecen la repetición y la reiteración.*
XA: Es interesante lo que me dices. Es verdad que es el inicio de la escritora y el inicio para ser escritora. Esa cosa de volver a lo mismo y volver a lo mismo, y volver a lo mismo y repito. Tengo mucho de eso. Es como un eco. Es como circular, voy, vuelvo, voy, vuelvo.

MG: *¿Cuál es el propósito del eco, la anáfora, el estribillo en tus escritos?*
XA: Yo creo que tiene que ver como un jueguito. Una escritura densa tiene que tener un ritmo, o sea, casi como una canción. Sí, el estribillo. Que vuelve y que vuelve, que ayuda a llevar también. Y por el otro lado es que yo tengo un temperamento obsesivo y siempre vuelvo a lo mismo, la recurrencia de volver a eso, de prolongar algo, pero no me es suficiente. Tengo que volver a nombrarlo y volver a nombrarlo para meterme adentro, como para terminarlo. Creo que algo de eso hay, aparte del ritmo. Tengo una escritura basada en una especie de ritmo denso, un estilo de agobio.

MG: *Inclusive hay una parte donde uno de tus protagonistas dice: "Quiero convertirme en este elemento, en este otro. Es como que buscas identificarte con cada cosa, para que quede*

41

impregnada la forma precisa, exacta, como quiere el escritor interior. Me gustó también el espacio, el cromatismo que usas y los 3 colores. El blanco, el plomo y el amarillo. No sé si fue adrede o no, pero la escritora interior se aparta del mundo circundante y ve al mundo como un teatro. Ella quiere ser practicante, ser parte de ese teatro y verlo a través de la ventana.

XA: Exacto. Eso es algo que es constante dentro de mi escritura. Yo no me había dado cuenta, hasta que una crítica boliviana, Virginia Ayllón, escribió un artículo sobre eso. Mi escritura se hace a partir de la ventana permanentemente. Siempre hay una ventana, siempre estoy mirando por una ventana. O sea, siempre hay una distancia del mundo y yo. La ventana tiene mucha importancia.

MG: Me pareció importante el uso de la ventana por ser un espacio liminal y porque te permite salir del interior al exterior. ¿Aparece en todas tus obras?

XA: Sí. La ventana es un elemento recurrente.

MG: Sí, me gustó esa búsqueda de espacio, como quererse acercar a la ventana y poder observar desde la misma. Le da el ambiente de un teatro.

XA: Sí, eso tengo bastante. Aparentemente yo no me doy cuenta, pero ahora estoy más consciente de eso, justamente por las miradas de los críticos.

MG: ¿Tienes preferencia por personajes femeninos, masculinos o ambos?

XA: Ambos. En realidad, en el último libro es en el único que hay un personaje masculino. Está dividido en dos, son ella y él. Una mujer y un hombre. Escribo en primera persona. Es en el único. En *Las opalinas* es una mujer. El otro, la maestra, también; después en la novela, *Tres mujeres en invierno*. Son tres mujeres que relatan la misma historia.

MG: *Los libros y la biblioteca ¿están presentes en tus textos?*

XA: No, no creo, no de una manera consciente. Hago poca referencia a libros.

MG: *Un espacio que aparece en tus textos es la ciudad.*

XA: Eso sí está muy presente para mí. La ciudad de La Paz, que yo la veo como un escenario teatral. La Paz como un espectáculo en realidad. Sobretodo en los personajes y la parte urbana. En los cerros, o sea, esa parte natural.

MG: *Noto que haces referencia a la ciudad en su totalidad. Por ejemplo, hablas del cerro, los edificios, la iglesia, etc. La escribes y plasmas en su conjunto.*

XA: Sí, definitivamente la ciudad está presente en mis obras.

MG: *Lo espiritual, lo emocional, hasta lo andino también forman parte de tus escritos.*

XA: Lo andino natural son como telones de una pieza de teatro. Y eso sí es una recurrencia permanente.

MG: *Sí se aprecia esa teatralidad. Inclusive las luces y los colores: blanco, amarillo y el plomo. Estamos ante un escenario teatral.*

XA: Claro, en el escenario totalmente. Y eso sí es recurrente en las montañas. Para mí, La Paz es una ciudad que además de las montañas, la luz es importante. La Paz es una ciudad con mucha luz, y muy intensa.

MG: *Sí, durante la noche parece un nacimiento.*

XA: Sí, por las laderas. Entonces siempre me parece que pueda ser diferente y es una ciudad sobretodo en las montañas, en los cerros que se le ve diferente cada vez que la observas.

MG: ¿A qué se debe la recurrencia de hablar de la ciudad?, ¿quisieras verla diferente? ¿Por qué este tema constante?
XA: Conscientemente no sé. Creo que es una ciudad, donde no sólo hay una cohabitación de clases sociales, como cualquier otras ciudades, sino también de diferentes frentes. Los indígenas y los no indígenas. Entonces, al mismo tiempo me está confrontando al otro permanentemente. Eso hace que el paceño sea un poquito abierto, en el sentido que oye otros idiomas, permanentemente. Estás acostumbrado a otros sonidos, otras vestimentas, a otras caras. Hay un montón de desprecio, racismo, complejos por los lados. Pero hay sólo una manera de ver las cosas, que en otras ciudades que son muy homogéneas. Ahora las ciudades son más cosmopolitas y más diversas. La Paz, además de ser un pueblo, porque es más bien provinciano, tiene ese elemento que es cosmopolita.

MG: Háblame de ese cosmopolismo.
XA: Cosmopolita en el sentido que estamos acostumbrados a lo otro. Entonces, eso sí me interesa y eso otro también. Estas sociedades andinas, yo creo que tienen una cierta esquizofrenia. Los indígenas y los no indígenas tienen esquizofrenia. Los blancos, que viven en La Paz, tienen la absoluta idea que no son de aquí. Los orígenes son variados, pero siempre hablan. "Los bolivianos son así, los bolivianos son esto, lo otro etc. Es una burguesía muy insípida, insulsa, poco fina, muy mediocre, con un complejo de superioridad dentro e inferioridad fuera. No siempre se siente mal cuando uno es boliviano. Entonces todas esas cosas muy complejas, y lo mismo en la otra clase, o sea la clase revolucionaria, indígena o como se llame, mestiza, igual está cargada de complejos. Somos un paquete completo. Eso me interesa mucho, porque es fácil hacer ser al boliviano diferente de otros. Mucho más cargados de montón de cosas, de palabras, hasta a veces para decir otras no. Hay ciertos com-

portamientos, entonces está muy codificada. Son roles además que juegan, que nosotros permanentemente juzgamos a los blancos, a parte de ser discriminadores y todo lo que sea, también se les carga encima, que son malos, que no se qué, que son ladrones, aprovechadores de este país, etc. Sin embargo, son los blancos los únicos que, finalmente en sociedad civil, son los que hacen que este mundo sea mejor, porque pagan impuestos, porque legalizan, porque tienen un dinero legal. A parte de tener un rol, de tener más suerte que los otros, son los que hacen que el país sea lo que es, de alguna manera. De ahí los otros pobrecitos, eternamente pobres, llenos de plata, porque hay dinero, pero siempre van a ser los pobres que no tienen nada. Hay mucha carga de roles, de representaciones, que nosotros mismos nos hemos hecho.

MG: La discriminación es un problema que no se ha solucionado todavía.

XA: Claro, hay discriminaciones positivas y negativas, permanentemente. Uno dice, "no sé, los indígenas son", o sea, hay una serie de estereotipos y hay un racismo que no se puede negar. Pero también hay esto, que al mismo tiempo uno no puede juzgarlos, que son los pobres o los mártires. Hay que despojarnos de los prejuicios.

MG: Aunque tengan dinero se crean estereotipos.

XA: Aunque tengas dinero, van a decir que se portan mal y que se vuelven corruptos.

MG: Otro espacio que me llama la atención es el espacio verde, el jardín, el bosque, la naturaleza, las plantas. ¿Está este ámbito en tus textos, ya que lo que resalta en la Paz son las montañas?

XA: Forman parte de mis textos, la naturaleza, pero sobretodo las montañas, o sea, la aridez, la tierra como textura, como todo. Eso es cultural. Yo vengo de La Paz, o sea que para mí, las montañas son mi entorno, y entonces para mí eso es muy importante. Pero en el sentido de los ocres, los amarillos, las luces rojas, que se refieren a la tierra, y es como la tierra les botara de nuevo. Ahora, en cuanto a lo verde, hay poco verde en La Paz. Ahora hay un esfuerzo, digamos, de poner verde en espacios y hacer parques bonitos. Eso es relativamente reciente. Esto es árido, tierra y polvo.

MG: *¿Qué representan para ti, como escritora, la biblioteca y los libros?*

XA: Los libros, para mí, como escritora, son "todo". Tengo, como muchos, padres literarios. Cambian, de alguna manera, de acuerdo al paso del tiempo; pero hay algunos que son permanentes, o sea que están ahí a mi alrededor. Yo no puedo escribir sin tenerlos a ellos presentes. O sea que los leo o no. Los puedo ojear, los puedo releer a esos libros; están ahí, o sea, ellos, éstos en particular, tengo como una elección. Digamos, son importantes para mí y están conmigo, siempre en mi escritorio donde yo trabajo. El resto está en la biblioteca, o sea, más abierto, digamos. Pueden ir y venir, pero ellos forman parte de mí. Son esos escritores o libros importantes para mí, y están permanentemente conmigo, cuando yo escribo. Incluso, los tengo a mi lado como amigos, son mis verdaderos interlocutores.

MG: *¿Qué representa el acto de la escritura para ti y cómo elaboras tu obra?*

XA: La escritura representa todo. La verdad, lo que me interesa es eso, la escritura. Es como que yo puedo escribir, o sea, cómo puedo salir del trance, por qué uno entra; más o menos pienso en una especie de trance cuando se escribe. Me interesa el elemento de la escritura, me interesan las palabras. Yo trabajo con las palabras, o sea, las palabras no son indiferentes, y eso es lo que me importa, el resto no me interesa, o sea, por supuesto que se edite y todo eso tiene su importancia, pero no me interesa el público preciso, o sea, concreto. Hay un público, un lector obviamente ahí, permanente, porque es difícil escribir sin pensar que eso va a ser leído por otras personas. En realidad lo que a mí me interesa es el hecho, el acto de la escritura.

MG: Parece que deseas doblegar y domar a las palabras.
XA: Es absolutamente eso. Eso es, cuando yo me pongo a escribir es eso, domar a las palabras y al lenguaje. Tiene que ser mío. Las palabras son de tal mundo, pero cómo hacer para que eso sea tuyo propio. Mis autores preferidos son autores de texto, de escritura. Cuando yo hago un libro de inteligente o de bruta, uno lee una página y lo reconoce, entonces tenemos miles y miles y miles de millones de escritores. En una página están ellos.

MG: En cuanto al proceso de escribir ¿tienes un proceso o un método determinado?
XA: Cuando estoy escribiendo sí soy metódica. Pero como soy una temática, escribo siempre lo mismo. Yo no tengo una nota, por ejemplo; pero tampoco me inmiscuyo en historias, porque no cuento historias. Hablo de eso, o sea, es como que va creciendo en mí algo y eso yo lo siento. En algún momento siento que tengo que empezar y me puede durar largo. Esto depende de mis actividades, pero tengo que empezar a escribir y empiezo metiéndole a las palabras, y de ahí sí, escribo con ritmo, con una cierta disciplina, un poquito en las mañanas y cada día.

MG: ¿Desarrollas más personajes femeninos que masculinos o viceversa? ¿Tienes el mismo tratamiento para desarrollar a tus personajes femeninos y masculinos?

XA: Femeninos, claro. Pero no ha sido mi intención, y no me he impuesto a hacer una literatura femenina, con personajes femeninos, sino que se han dado así. Yo me voy llenando de algo y eso después se forma, se va plasmando, es casi plástico el asunto. Van viniendo las cosas y salen mujeres. Esta vez han salido un hombre y una mujer. Ahora me dicen que yo tengo una muy mala visión de los hombres. Será porque acá, en este mundo boliviano o latinoamericano, se es machista, etc. Yo no creo que los hombres tengan un rol muy digno y hay muchos estereotipos. Yo no digo voy a ensañarme con los hombres. Me da igual, más en ese sentido. Yo vengo de un mundo femenino subyugado. Mis padres se divorciaron cuando yo era muy chica. Mi padre, una figura cultural muy importante en Bolivia y difícil como padre. Eso también me ha marcado, supongo. Un pintor muy reconocido, digamos.

MG: ¿Piensas que existe una escritura femenina y una escritura masculina?

XA: Sí, definitivamente. O sea, claro, es como una visión del mundo, es diferente. Eso no quiere decir que no sean mejores que otros, sino diferentes. Hay mala literatura femenina, como mala literatura masculina y hay poca exigencia en los hombres. Pero yo creo que sí hay, o sea, sin caer en el estereotipo, justamente de que la mujer quiere charlar de esa revelación del cuerpo, y un cierto erotismo femenino. Para mí corresponde más a una mirada machista. La escritura tiene que ser irreal y verdadera. Si uno quiere escribir erotismo será por algo. Eso se ve en el libro, o sea, se ve en la obra cuando es real, verdadera y está libre de toda presión. Se ve lo mismo y se da en los hombres también.

MG: Noto en tu obra una preferencia por los espacios, inclusive tienes un libro en el que lo demuestras, **Visiones del espacio.** *¿Qué otras obras has publicado?*

XA: Este es el primer libro, *Visiones del espacio,* ese es el título del libro, que son fragmentos de ese tipo. Sobre la ciudad yo escribo en general acerca de la ciudad de La Paz, y después hay un libro pequeño de dos cuentos y también dos novelas.

MG: ¿Qué recomendarías a los escritores nuevos que están emergiendo? ¿Cuál ha sido tu experiencia como escritora?

XA: No voy a vivir de la escritura y no voy a conceder una coma. O sea, porque la escritura para mí es un ritmo también, casi como la respiración. Entonces, cuando yo pongo cosas detrás de puntos suspensivos, digamos, que puede ser. Es un plasmado, que uno puede plasmar con los signos que uno tiene. Recomiendo que lean mucho y sean conscientes de su escritura.

Virginia Ayllón

I. Reseña biográfica

Nació en La Paz (Bolivia) en 1958. **Autora** de
Búsquedas: cuatro relatos y algunos versos. Edición propia. 1996
(cuento y poesía). *Búsquedas: las discapacidades*. Coedición de
la autora con la casa Juvenil de las Culturas Wayna Tambo
de El Alto. 2004 (poesía). Y *Liberalia: diez fragmentos sobre la
lectura*. El Alto: Yerbamalacartonera, 2006. **Coautora**: Prada,
Ana Rebeca; Ayllón, Virginia. *La otra mirada*. Antología del
cuento boliviano escrito por mujeres. La Paz: Santillana,
2000, Prada, Ana Rebeca; Contreras, Pilar; Ayllón, Virginia.
Mujer y escrituras. La Paz: Sierpe, 1998. *Memoria del Encuentro
Latinoamericano de Escritoras* (La Paz, agosto de 2003). La Paz:
Espacio Simón I. Patiño, 2004. Sandoval, Godofredo; Ayllón,
Virginia. *La memoria de las ciudades: bibliografía de las ciudades
en Bolivia 1952-1992*. La Paz: CEP, 1992. Barragán, Rossana;

Salman, Tom; Sanjinés, Javier, Ayllón, Virginia (et al). *Guía para la formulación de proyectos de investigación.* La Paz: PIEB, 1999 (1.ª ed.) y 2003 (2.ª ed.). Machicado, Fernando; Ayllón, Virginia. *De tanto haber andado yo ya soy otra: bibliografía de la mujer en Bolivia.* La Paz: CIDEM, 1991. Susz, Pedro; Ayllón, Virginia. *Políticas culturales: una propuesta inédita de la sociedad civil.* La Paz: CEDOIN, 1998. Brinatti Rosana; Ayllón, Virginia. *Guía de la organización de centros de documentación.* La Paz: PIEB, 2000.

Rosells, Beatriz; Oporto Luis; Ayllón, Virginia. *Bolivia: ¿un país desinformado?* La Paz: PIEB; UNESCO; Sol de Intercomunicación, 2004. **Columnas:** *En términos de mujer.* Diario Hoy de La Paz. 1990-1992. *Del libro y sus caminos.* Revista Sopocachi. 1990-1994.**Programas de radio:** *La morada del olvido, El demoledor, Especiales Musicales.* Programas semanales y eventuales de literatura y cultura. Radio Wayna Tambo. 101.7 FM El Alto 2002-2004. Ha participado en programas de televisión, consejos editoriales, investigación adjunta entre otras actividades como escritora e investigadora. También ha escrito prólogos y artículos especializados. Su obra aparece en numerosas antologías.

II. Entrevista

MG: ¿Cuál ha sido tu formación literaria?

VA: Pasé un tiempo en la carrera de Literatura donde no se estudiaba la obra literaria escrita por mujeres. Entonces por mi cuenta empecé a leerlas y ahí pude conocer a las de mi país y autoras de todo lado; descubrí nuevas cosas, nuevos puntos de vista sobre el mundo y, principalmente, sobre la escritura.

MG: ¿Qué impacto han tenido tus lecturas en tu formación?

VA: Creo que eso del impacto es muy lindo, y también es por épocas y por tiempos. Todavía algunos libros de cabecera que leo, son escritos por mujeres y otros donde los personajes mujeres, me sorprenden. *Alicia en el país de las maravillas*, me sigue impactando. Y Marguerite Yourcenar me impactó mucho. Me fascinó esa capacidad de dibujar al emperador Adriano, un personaje varón tan complejo, tan hermoso, ¡tan femenino! Es muy difícil no identificarse con autoras como Virginia Wolf y todas las escritoras clásicas. Es muy difícil no hacerlo, no creo que haya escritora que no se enganche con eso. Hay otras autoras destacadas en el género negro que a mí me gustan mucho, como Úrsula Le Guin, a pesar que no escribo nada en el género de la novela negra. Admiro algunas autoras bolivianas como Adela Zamudio o Hilda Mundy, y también latinoamericanas como mi amiga chilena Diamela Eltit.

MG: ¿Predominan los personajes femeninos en tus obras?

VA: Puede ser. En el primer libro creo que la mayoría son mujeres. También hay que entender que en esa época yo estaba con esa cosa de la identidad. Para tener una identidad de escritora hay que tener una identidad de mujer, sea lo que eso sea. El siguiente libro es más poético, es como que en él vomité muchas cosas. Ese tiempo se publicaron varias piezas mías en antologías, publiqué en la revista *Correveidile* y en otras. Después empecé a nadar en silencio, porque la literatura es una forma de expresión, y a mí fundamentalmente me expresa el silencio. Es decir, se ha vuelto mi búsqueda central.

MG: ¿Puedes hablarme de los libros que has publicado?
VA: Son tres. El primero se llama *Búsquedas: cuatro relatos y algunos versos;* el segundo, *Búsquedas: las discapacidades;* y el tercero, *Liberalia.*

MG: ¿Cómo nace tu texto **Búsquedas: las discapacidades (2004)?**
VA: Búsquedas: las discapacidades, es un libro de prosa poética. Diría que es más maduro que el primer *Búsquedas* en el que hay cosas que me gustan mucho, pero yo creo que es un librito que hice con menos experiencia. En el segundo estaba como más fuerte, también tiene más consciencia de escritura, más trabajo. Las "discapacidades" se refieren a los momentos de incapacidad de la escritura que, además, están muy ligados al cuerpo. De ahí que las metáforas y las parodias se relacionen con la mudez, la sordera o la cojera. Para mí la escritura es un hecho corporal y en éste se encuentran los instrumentos del decir. Pero el cuerpo es también una instancia autónoma de nosotras mismas y suele cerrarse a nuestra necesidad de la palabra; nos torna discapacitados y habremos de seguir una ardua búsqueda para re-encontrar(nos) con nuestro cuerpo; esto es, con los instrumentos del habla.

MG: ¿Tiene tu segundo libro una conexión con el anterior, o no?
VA: Los une la búsqueda. Éste es de más fuerza poética que el anterior. Son muy diferentes uno del otro, pero, en conjunto, dicen de mis búsquedas, primero de identidad y luego de la palabra, de la que pueda significar mi anhelo de silencio.

*MG: Me gustó tu cuento "Búsqueda", cómo presentas
el yo adulto y el regreso al yo niño. Un cuento íntimo donde
el miedo es una constante.*
VA: Es el más íntimo, si tú quieres. Me gusta mucho y
además la imagen del miedo de este cuento está muy repe-
tida. Está en el segundo libro y está en otros cuentos. Ahora,
como en toda entidad literaria, el regreso a la infancia, en
realidad es una metáfora de varias posibilidades, por ejemplo del retorno a los lugares protegidos; del temor a salir, a
decir; del recuerdo como casa de la identidad, etc. Y todo
ello enuncia el miedo.

MG: Se podría decir que es la columna vertebral de tu obra.
VA: Sí, definitivamente el miedo es una constante. Pero
no es un miedo lineal, en el sentido de un temor hacia algo
concreto. Es más bien un modo de calificar la imposibilidad,
la ausencia. Y la principal ausencia sería la de la palabra.

VA: ¿Cómo nació ese título, "Liberalia"?
VA: Pues en alguna lectura descubrí que liberalia era
una fiesta de la libertad, y este librito contiene diez fragmentos sobre la lectura. Son retazos que he observado como
bibliotecaria, como escritora y como lectora.

MG: ¿Predominan los sujetos femeninos en este libro?
VA: Hay un fragmento hermoso sobre Adela Zamudio,
nuestra gran escritora, donde se involucra una historia bellísima que tiene como personaje principal a una prostituta. Hay
otra sobre la escritora boliviana Yolanda Bedregal, y hay otros
personajes varones. No son ficciones, en el estricto sentido de
la palabra, son más bien historias reales ficcionalizadas.

*MG: En tu cuento Búsqueda se encuentra el espacio
verde como el bosque, la naturaleza, los árboles conectados*

con la mujer. La mujer es una proyección de la naturaleza y el jardín es un laboratorio, donde la mujer puede reinventarse. El espacio de refugio para volver a su niñez es el bosque, lo verde. ¿Fue adrede o no?

VA: Tal vez son recuerdos de infancia, no lo sé. Pero estoy haciendo un paralelo con un relato del segundo libro, que más bien representa el Altiplano y el anhelo de silencio, pero no hay que equivocarse porque hay silencios cargados de significado como lo es el silencio del Altiplano. ¿Te das cuenta?, no es un espacio verde, más bien es un espacio amado, tan lleno de significados... y el verso: "desde que me quedé muda, ciega y coja, buscando el sendero de la palabra", es otro silencio. Yo no lo había pensado ese espacio como verde. Eres la primera que me lo hace notar, es muy interesante y respeto tu lectura. En todo caso, este no sería un verde del solaz, de la naturaleza pródiga. Más bien, un verde apagado.

MG: El sujeto femenino se refugia en el bosque y lo busca.

VA: Debe ser recuerdo de infancia que por ahí se ha resbalado, cuando yo era niña, mi abuela me llevaba a jugar al bosque. Pero es cierto lo que anotas, en cuanto a espacio de refugio; no tanto el bosque, sino más bien la infancia. Ahora, hay también un signo 'escritural' en este retorno a la infancia. Para mí es el retorno a "la primera voz" y escribir sería la búsqueda, el camino de vuelta.

MG: ¿Por qué ese título "Búsqueda"?

VA: Se llamó "Búsqueda", porque intuitivamente allí inicié el laberinto de buscar la palabra. Tal vez por ello escribirlo fue muy doloroso, posiblemente porque allí se hizo palabra el tema del miedo. Creo que este pequeño relato me ha marcado, en cierto sentido, porque escribir, para mí, no es necesariamente una experiencia de celebración. En general, escribo en estado de nostalgia y tristeza.

MG: ¿Cómo nace el texto **Liberalia?**
VA: De mi experiencia de bibliotecaria, lectora y escritora. Son crónicas sobre la lectura que me han impactado y que al juntarlas se convirtieron en una unidad. El libro está publicado por la editorial Yerba Mala Cartonera y sale en el 2006. Esta editorial es artesanal, trabaja con cartón reciclado, en la misma idea de "Eloisa cartonera" de Buenos Aires y "Sarita cartonera" de Lima.

MG: En este texto predomina la referencia a los libros y a la biblioteca. ¿Fue adrede, o no?
VA: Sí, porque quería dar a conocer que la lectura y el acceso a los libros recorre varios caminos, diferentes, en muchos casos, a los circuitos oficiales. Entre otras cosas yo soy activista del acceso libre a la lectura y mi profesión de bibliotecaria me ha puesto en contacto con lectores y lectoras alucinantes que me devuelven al sentido primigenio de la lectura.

MG: ¿Cuál es tu opinión en cuanto a la globalización y las autoras?
VA: Alguien dijo alguna vez que la literatura *Light* es el canon literario de la globalización y creo estar de acuerdo con ello. Tal vez por eso la obra de algunas autores sea, hoy por hoy, conocida como representativa de la literatura escrita por mujeres. Mas yo creo que es incorrecto, ya que ello oculta la obra de autoras, como la chilena Diamela Eltit o la uruguaya Marossa Di Giorgio, que tienen propuestas 'escriturales' de gran alcance, y sin embargo, no sobresalen, simple y llanamente porque no cumplen con los requisitos de lo que la globalización denomina como "literatura escrita por mujeres".

MG: ¿En qué proyectos estás trabajando?
VA: Transitando entre la prosa y el verso. En ambos casos juntando piezas sueltas que fueron publicadas por

aquí y por allá, tratando de darles unidad, lo que me está haciendo re-escribir muchos de ellos.

No te olvides que mi trabajo de crítica literaria también me regala algunos hermosos espacios como el de preparar el volumen de *Otros escritos* de Yolanda Bedregal, que forma parte de la obra completa de esta importante escritora boliviana.

MG: *¿Qué recomendarías a los escritores jóvenes que están emergiendo?*

VA: Esto de la nostalgia y la tristeza como espacio de escritura me ha hecho valorar en sumo grado lo que suele denominarse como "la primera voz", esa que viniendo de muy lejos tiene la capacidad de expresarnos, de decirnos. Es nuestra voz incontaminada, púber y la más cercana a lo que queremos decir. A veces la ocultamos, no siempre resiste el embate de la técnica y —peor— de las modas o el comercio literario. Resistir para que no se nos pierda, para darle vitalidad, requiere, sin duda, de mucho valor y —cómo no— de mucho trabajo.

Moira Bailey

I. Reseña biográfica

Nació en La Paz, Bolivia. Licenciada en Literatura contemporánea y Magister en periodismo. Es traductora y autora de artículos publicados en suplementos literarios y periódicos en México y en su país. *Viaje a Lomo de tigre*, Editorial Verdehalago, México (2002), y Universidad de Guanajuato, México (2006), fue el resultado de sus estudios de mandarín realizados en la Universidad Normal de Nanjing, China.

II. Entrevista

MG: ¿Cómo es tu ámbito familiar?

MB: Tengo un ámbito familiar con bastante inclinación literaria. Mi abuelo materno hablaba 6 idiomas, tenía una letra muy bonita y hacía caligrafía, incluyendo el alemán gótico. Él tuvo una biblioteca bellísima, donde había unos 8000 libros. Fue un espacio que recorrí los primeros años de mi infancia y lo recuerdo siempre como espacio poético, aunque dicha biblioteca ya no existe en su forma original. Los libros están distribuidos en dos partes, pero se conservan. Mi padre es literato, traductor y periodista. Mi padre y mi abuelo han sido muy afines a las letras y de alguna manera los dos me influyeron mucho. A los 6 años salí de Bolivia. Me fui a México con mi familia y estudié allí casi toda mi educación, con la excepción de cuatro años vividos en Europa y uno en China.

MG: ¿Qué representa el acto de la escritura para ti?

MB: No sé como explicarlo. Siempre admiré a la gente que podía escribir y sintetizar sus ideas, la forma verdadera de su pensamiento. Me maravillan las personas que pueden encontrar otras lógicas, utilizando parte de la gran cultura y los idiomas que hay en el mundo, y que pueden hacer, como los grandes escritores, una amalgama entre su propia experiencia afectiva en el mundo y la inmensidad de cosas que nos rodean.

MG: ¿Cómo desarrollas a tus personajes femeninos? ¿Tienes el mismo tratamiento para los personajes masculinos?

MB: Sí, utilizo el mismo tratamiento. En mi cuento "Hasta siempre Clara", a pesar que todo se relaciona en torno a Clara, Octavio también tiene su papel central. Yo creo que mi personaje central en este relato es el femenino, pero no porque sea femenino, sino porque su constitución es central para el relato. No creo de ningún modo que el personaje más importante tenga que ser necesariamente femenino o masculino, sino ante todo creíble según la historia.

MG: ¿Piensas que existe una diferencia entre escritura femenina y masculina?

MB: No creo que haya tal diferencia, creo que la literatura es una mezcla de experiencia existencial e intelectual, que puede tener cualquier ser humano en el mundo.

MG: Disfruté mucho de de tu libro El lomo del Tigre y especialmente cómo proyectas la cultura China. Cada ensayo parecen retazos de dicha cultura. ¿Cómo nace tu texto?

MB: Surgió durante un viaje a China. Al principio sufrí mucho, porque la cultura es muy cerrada, además de que el idioma y los jeroglíficos son extremadamente difíciles, Después de 3 horas de clases salía agotada. Vivir allá es complicado, porque ellos no te informan, ni te dicen muchas cosas sobre la cultura o literatura contemporáneas, sólo hablan de sus clásicos. Estuve un poco más de un año en una universidad y fui anotando cosas. Escribí unos ensayos que salieron publicados en unos dos periódicos mexicanos. Luego surge el texto de ensayos *El Lomo del Tigre*.

MG: ¿Qué representa el ensayo para ti?

MB: Es un género con el que yo no había soñado tanto, hasta ese momento. Yo fui la primera sorprendida, porque siempre quise ser novelista y resulté siendo ensayista, que también es una cosa bellísima. El ensayo en mí tal vez tiene que ver mucho con la influencia del periodismo y ahora lo cultivo y admiro más. Cuando uno lee a Octavio Paz o a otros grandes ensayistas, se da cuenta de la belleza de este género literario y cuán hermosa es la buena escritura, aunque no sea de ficción.

MG: ¿Has escrito poesía?

MB: Hace mucho tiempo pertenecí a un taller de poesía dictado por Hugo Gola, quien sigue siendo un farol indispensable de mi vida, pero por algún motivo no he vuelto a escribir poesía, como tal, claro que estoy convencida de que cualquier buen texto tiene algo de poesía aunque su formato sea la prosa.

MG: En tu cuento "Hasta siempre Clara", los 3 personajes centrales Clara, Octavio y Juliana se encuentran en un viaje simbólico. Clara se refugia en la locura, Octavio en el recuerdo y Juliana en el silencio. ¿Cómo nace el personaje Clara?

MB: Todo es inventado. En esa época yo estuve mucho en contacto con una persona, que estuvo enferma, viajando de un país a otro. "Y si me muero en el camino" es una frase real que escuché en ese contexto. Lo del camino me lo fui inventando con otras imágenes que tenía guardadas.

MG: El aspecto del escape y la huída está presente en tu narrativa.

MB: Debe ser la influencia de otros escritores. La literatura sirve, entre otras cosas, para crear una posibilidad de otra vida diferente a la que a uno le toca, y esa otra vida no es necesariamente perfecta, puede ser inclusive peor a la real. Cuando hay personajes decrépitos, sus acciones pueden ser como un escape a su propia decrepitud.

MG: En "Hasta siempre Clara" cada uno busca su espacio para ser feliz en él mismo y más feliz que en la vida real textual.

MB: Es cierto. Me fascina Juan Carlos Onetti, y probablemente esta sea influencia suya. Aunque el pesimismo tan acérrimo que tenía los últimos años no es mi forma de ver la vida. Sus personajes mujeres son el centro de la literatura y casi siempre con una historia muy complicada. En todo caso, cada personaje está obligado a crear su mundo, aunque probablemente éste no resulte perfecto.

MG: En tus textos aparecen los libros. Clara lee. ¿Qué representa el espacio de la biblioteca para ti?

MS: Es un sitio agradable y silencioso, donde uno puede quedarse tranquilo y de alguna manera confiar en los textos que escoge, porque aunque no ames a todos los escritores, si han durado, como en muchos casos, muchísimos años, tiene que haber una razón para eso. Me gusta la idea de la biblioteca.

MG: ¿Qué representa la naturaleza para ti? ¿Lo verde, la selva, el jardín aparecen en tu obra?

MB.: Representa la vida. El hecho que en este mundo hay cosas que funcionan solas sin la mano del hombre, es muy reconfortante. En los últimos años he trabajado en temas relacionados con el medio ambiente y he aprendido mucho. Existe una mezcla entre medio ambiente y literatura, o naturaleza y literatura, que utiliza, por ejemplo, el poeta norteamericano Gary Snyder y algunos otros de la generación Beat. Creo que esa es una muy feliz combinación, es esencialmente poética, tanto más que aquella combinación entre sociología o ciencias políticas y literatura, tan común en nuestros días en países como Bolivia.

MG: ¿Cuál es la temática de tu narrativa?

MB: La soledad, el exceso de reflexión de la gente. Mis personajes son taciturnos y reflexivos. La música es otro pilar fundamental, la novela que estoy escribiendo está casi totalmente centrada en la música.

MG: *¿Qué esperas de tus lectores?*

MB: Espero que tengan toda la libertad en su lectura, que encuentren algo interesante, aunque sea un pequeño detalle, ya sea desde el punto de vista de la información o la reflexión. Quisiera que encuentren alguna manera o perspectiva diferente a la suya, que los haga felices o les sirva, aunque sea por un momento.

MG: *En este mundo globalizado que estamos viviendo ¿cómo ves la globalización en conexión con las autoras?*

MB: Creo que en estos últimos años hay una posibilidad mayor de viajar a la que había antes. El año pasado estuve en un congreso llamado Humboldt, precisamente en torno al viaje y la literatura. Me di cuenta de que había un montón de participantes de otras latitudes que hablaban muy bien español, tanto como para hacer una poesía o un cuento en nuestro idioma. Un polaco que estudiaba a los aztecas y una chica de Taiwán, que era especialista en Alejo Carpentier. La cantidad de ideas de viaje me asombró y casi ninguno de los participantes vivía en su país de origen. Los catedráticos húngaros vivían en México y eso me hizo pensar que el tema del viaje estaba expresado, ante todo, por la forma de vida de los participantes. Ahora existe más flexibilidad de la que había antes, para moverse, y hay más interacción con otros países, y esto tiene cosas buenas y malas. Yo le temo mucho a la globalización en temas económicos, pero no en temas culturales y literarios, siempre y cuando no implique la desaparición de cosas valiosas de los pueblos. Creo que hay que salvar siempre lo auténtico, sin importar de dónde venga.

MG: *El hecho de haber estudiado este idioma chino y su cultura, ¿tiene alguna influencia para que tus ensayos sean breves y concisos?*

MB: Siempre fui sintética. Ahora estoy sufriendo con mi novela, porque cada párrafo me cuesta mucho trabajo, porque trato de sacarle lo obvio, lo repetitivo, y entonces los capítulos salen cortos. Pero creo que ese aspecto, en el caso de *Viaje a lomo de tigre* fue algo positivo.

MG: ¿Qué representa para ti ser escritora y mujer boliviana en este momento?

MB: En este mundo globalizado no creo que el ser boliviana sea una experiencia muy importante, en lo esencial, en relación a la literatura, pues el trabajo literario no sale necesariamente de la experiencia de ser ciudadana de un lugar o de otro, especialmente en mi caso, que dejé mi país de chica; viví en otros cuatro países y no volví hasta después de haber salido de la universidad. Ahora, la herencia literaria latinoamericana que tenemos todos nosotros como escritores es algo muy rico y positivo.

MG: ¿En qué proyectos estás trabajando?

MB: Estoy terminando una novela que inicié hace un par de años. No tengo un título todavía, pero tiene que ver con el mar y con la música, particularmente el blues.

MG: ¿Qué recomendarías a los escritores que están emergiendo?

MB: Escribir de todo, ideas, vivencias y luego guardarlas para que maduren y salgan al final. Aprendí a escribir haciendo todo esto, las cosas más insólitas pueden derivar en una imagen literaria, es increíble.

Erika Bruzonic

I. Reseña biográfica

Erika Bruzonic (La Paz, 1970). Lingüista, abogada y periodista. Premio Nacional del cuento Franz Tamayo (1994). Entre sus obras se cuentan: *Ecos de Guerra* (1987), *Cegados por la luz* (1992), *Historias inofensivas* (1995), *El color de la memoria* (1989) y *Underground* (2006). Su obra también aparece en *Antología del cuento boliviano moderno, Antología del cuento femenino boliviano, Cuentos bolivianos, Antología para gente joven, Fire from the Andes, Líneas aéreas, La otra Mirada, Memoria de lo que vendrá, Antología del cuento latinoamericano, Medusa de fuego*, entre otras.

II. Entrevista

MG: ¿Podrías hablarme de tu ámbito familiar?
EB: Soy hija única de padres divorciados. Mi familia es
muy pequeña.

MG: ¿Cómo ha sido tu formación literaria?
EB: Jamás he estudiado literatura. Soy lingüista, maestra, abogada, y periodista. En el colegio y en la universidad
me dieron un currículo en la materia de Literatura, que traté
—como todos— de cumplir dentro de un determinado semestre o año. Adicionalmente, estaba la biblioteca bien sur-
tida de mi casa, que he heredado y con la que me he sentido
cómoda a la hora del ejercicio de re-leer, pero de eso hace
mucho tiempo.

MG: ¿Qué representa el acto de la escritura para ti y
cómo elaboras tu obra?
EB: Yo escribo porque escribo, y escribo porque quiero:
es un acto de voluntad nomás. Nunca me he parado mucho a
pensar cómo sale un libro, excepto en el momento de decidir
qué material literario es bueno y cuál no lo es. Me parece que,
después de 30 años, el olfato literario se agudiza, y una puede
determinar lo que vale la pena publicar y lo que no. Éste, sin
embargo, no es un proceso lógico formal; es, más bien, el resultado de una larga práctica. Por tanto, escribir para mí, no es una
imperiosa necesidad, no es un vehículo de expresión, no es un
mecanismo para llamar la atención. Ahora que lo pienso, puedo
decir mejor qué es lo que escribir NO es para mí, antes que definir lo que SÍ es.

MG: ¿Cuándo empezaste a escribir y cuál fue el deto-
nante que te llevó a hacerlo?
EB: Empecé a escribir a los 14 años, creo que sin ningún
detonante. Las clases de Geografía del colegio me aburrían

—duraban dos horas— entonces yo escribía lo que quería. Más tarde, con mayor voluntad y quizás hasta rigor, las clases de Geografía se convirtieron en mi taller personal de escritura creativa. Todo valía para paliar el aburrimiento.

MG: ¿Cómo desarrollas a tus personajes femeninos? ¿Tienes el mismo tratamiento para los personajes masculinos?
EB: A veces trato con arquetipos. Otras, recurro al *patchwork quilt* y voy zurciendo las características de unos y otros hasta que sale un todo coherente. Quién se reconozca en ese todo, lo tiene que hacer a riesgo de encontrar solamente una fracción de sí propio.

No me gusta el retrato de un personaje, femenino o masculino, a imagen y semejanza de alguien. Siempre lo conforman muchos "alguien". Para mí, el riesgo de que un hombre o mujer venga y me diga que equis personaje "es igualito o igualita a mí", se minimiza, porque, realmente, sólo trabajo con antihéroes y antiheroínas...creo.

MG: ¿Piensas que existe una diferencia entre escritura femenina y masculina?
EB: No... a no ser el hecho de que en literatura, las mujeres por lo general cuentan las aventuras que han vivido, mientras que los hombres cuentan aquellas que sueñan vivir.

MG: ¿Qué representa ser mujer y escritora en Bolivia en este momento?
EB: Lo mismo que representaría ser mujer y vivir en Buenos Aires, Londres o Argelia. Los hechos político-sociales se desenvuelven nomás solitos, sin tomar en cuenta si una mujer en particular, en un lugar en particular, está a la mira de reflejarlos, tinta mediante. La verdad es que los clichés me llenan un poco.

MG: ¿Qué significado tienen para ti el espacio verde, el jardín, las plantas, la selva etc.?
EB: Es una parte de mi trabajo. Un cuarenta por ciento de mi tiempo transcurre en el trópico de los Yungas de La Paz y el trópico de Cochabamba, muy ricos en flora y fauna. Se han vuelto una constante para mí, dado el carácter de mi actividad profesional y el área de acción e influencia de mi oficina.

MG: ¿Qué representan para ti los libros y el espacio físico de la biblioteca?
EB: Son la última parte del siglo XX, antes del advenimiento de un maravilloso invento: el libro en formato digital. Sería magnífico poder poner en formato digital las dos paredes de techo hasta casi el suelo, que tengo cubiertas por libros, y dedicar ese espacio a las artes plásticas, por ejemplo. De alguna manera, y desde hace unos 10 años, el libro como objeto de culto y colección se me ha despintado, por la sencilla razón que carece de un botón que diga "Buscar", lo que le impide ayudarme a entrar en el pasaje o la página que necesito encontrar. Hay quien se enorgullece de poseer 4 ó 5000 libros en casa. A esta altura resulta hasta egoísta, por no decir arrogante y mentiroso. Nadie que hoy en día ronde los 45 años puede haber leído 5000 libros. Es simple aritmética y no contiene. Así, el libro se convierte en un objeto meramente decorativo y, francamente, hay objetos estéticamente más agradables y que ocupan menos campo, en todo caso.

MG: ¿Cuál es tu opinión en cuanto a la globalización y las escritoras?
EB: Otro cliché nomás.

MG: ¿Cuál es tu género favorito?
EB: La verdad es que no tengo. Hay épocas en las que he leído sólo cuento; otras, sólo ensayo; otras, sólo novela.

Ahora me he dedicado a leer obras de dramaturgia musical, vale decir, partituras… qué sé yo, ni siquiera califica como género.

MG: Si habláramos de una temática o columna verte-bral en tu obra, ¿cuál sería?
EB: No hay una constante. En *Ecos de Guerra* era, por supuesto, la guerra. En *El color de la memoria* era, cómo no, el proceso inequívoco de hurgar en la memoria para sacar a flote hechos pasados, que producían consecuencias en el presente. En *Cegados por la luz*, el tema era el medio ambiente y la conservación dentro de un mundo ya casi global. En *Historias inofensivas*, el individuo y su entorno inmediato. *Underground* sigue con lo mismo. Yo no soy la mejor analista de mis libros. Eso puedo, con perfecta confianza, dejar a los expertos. Que ellos encuentren todo lo necesario: yo sólo sé escribir. Encuentro self-centered y self-serving eso de andar haciendo auto-análisis literario.

MG: En tu obra aparece la ciudad y las exigencias de un mundo moderno. ¿Qué simboliza/representa la ciudad para ti?
EB: Es el lugar que mejor conozco y en el que mejor me desenvuelvo, llámese La Paz, El Cairo, o Puerto La Cruz. Menos entiendo, por ejemplo, los pueblos o ciudades chicas. El campo es mi lugar de trabajo, pero no tengo la habilidad de transferirlo a la literatura. No es un referente para mí.

MG: ¿Qué esperas de tus lectores?
EB: Absolutamente nada. Hallo que las expectativas son fuerzas retardatarias para cualquiera, independientemente de si es o no escritor. Si uno se desliga de las expectativas, se regala la opción de producir más, y hasta mejores frutos.

MG: ¿En qué proyectos estás trabajando?

EB: Parece que es otro libro de cuentos y una novela. No sé en qué orden y mucho menos para cuándo. Dije que escribo porque quiero; añado: también sólo cuando quiero. Ahora quiero, pero no me alcanza el tiempo. Mañana, quién sabe.

MG: ¿Qué recomendarías a los escritores nuevos que están emergiendo?

EB: Que recorran su camino, nomás.

Gladys Dávalos Arze

I. Reseña biográfica

Pedagoga, lingüista computacional, traductora, escritora y poetisa políglota nacida en Oruro, Bolivia (1950). Estudios universitarios realizados en EE.UU., Chile y Alemania. Radica y trabaja en La Paz, en el campo de la traducción automática y la enseñanza. Licenciada en anglística y germanística en universidades de Alemania. Enseñó inglés y literatura alemana por muchos años en Alemania, Brasil, en el Colegio Alemán y en el Instituto Goethe de La Paz. Ex Presidenta del P.E.N. —Internacional (Asoc. Mundial de Escritores)— La Paz. Conferencias sobre literatura boliviana en el Congreso de Escritoras Latinoamericanas en Viena (Austria) y en el Encuentro de Escritores auspiciado por la Fundación Ledig-Rowohlt en Ginebra (Suiza, 1998) y otras.

Primer Premio Nacional y medalla de oro en poesía (1987),
Premio Latinoamericano "Alfonsina Storni" (Buenos Aires,
Argentina, 1989), Mención Honrosa en cuento de la Peña
Poética "Resurgimiento" (Montevideo, Uruguay, 1990),
Mención de Honor en poesía del grupo literario "Punto
de Encuentro" (Montevideo, Uruguay, 1992). Su libro infantil *Helado de Chocolate* fue seleccionado entre los mejores libros para niños por IBBY, Taller de Investigación y
Experiencias Pedagógicas, CENDOC-LI y las tres bibliotecas infantiles del Centro Cultural y Pedagógico "Simón
Patiño" Cochabamba-Bolivia. Diploma de Honor otor-
gado por las instituciones cívicas, culturales y científicas
de La Paz y Placa de Reconocimiento a su valioso aporte
a la investigación científica de la Ingeniería del Lenguaje
y la Traducción Computarizada de la Prefectura del
Departamento de Oruro (1993). Autora de los siguientes
libros: *Corazones de arroz* (sátiras para adultos, 1989), *Helado
de chocolate* (poemas para niños, 1990), *La muela del diablo*
(cuentos para niños, 1990), *Piel de Bruma* (poemario, 1995),
Ururi y los sin chapa (novela, 1998), *El rincón del tigre azul*
(relatos para preadolescentes, 2003), *El paraíso de los Qala
Paqo* (relatos para preadolescentes, 2003), *Qatari y Asiru*
(relatos para preadolescentes, 2003), *Los pozos del lobo* (novela inédita sobre la Guerra del Chaco). Más sobre la obra
de Gladys Dávalos Arze se encuentra en la antología *"Una
revelación desde la escritura"* – *Entrevistas a poetas bolivianas*,
de la Doctora y catedrática de Lingüística Hispánica en la
Universidad Estatal de Iowa, Kathy S. Leonard; en el libro
Existencias insurrectas – *La mujer en la cultura* y en *Cuentos de
mi país: Bolivia*, antología infantil de Ediciones Alfaguara -
Santillana. Galardonada con el Escudo de Armas de Nuestra
Señora de La Paz en Grado de Servicios Especiales y postu-
lada al Premio literario "Juan Rulfo" (2000). Su biografía fue
seleccionada por el International Biographical Center de

Cambridge, Inglaterra, como parte de la edición "Los 2000 escritores más destacados del Siglo XX". Recibió el "Laurel de Oro" de la "Asociación Peruana de Literatura Infantil y Juvenil", en Cuzco, Perú, y obtuvo la Primera Mención en el Concurso Nacional de Cuento "Franz Tamayo" (2001) en Bolivia. Desde 2002 es Miembro de Número de la Academia Boliviana de la Lengua, correspondiente a la Real Academia Española de la Lengua. Primer Premio Nacional en el Concurso de Cuento Corto Infantil Europeo, auspiciado por la Cámara Boliviana del Libro y la Unión Europea (2005), www.utopos.org (escritoras bolivianas). Conferencista en el IV Congreso Nacional de Literatura Infantil Juvenil Ibby 2006: "Leer y escribir para conocer al otro". Distinción otorgada por la Defensoría del Pueblo de La Paz por su actuación como jurado en el concurso literario "Un cuento, un valor" (2006).

II. Entrevista

MG: ¿Podrías hablarme sobre tu formación literaria y cuándo empezaste a escribir?

GDA: Primero escribí sin ninguna formación, solamente la escolar. Me salió un poema muy bonito, según me dijeron los profesores, en el colegio, cuando yo tenía 15 años. Más adelante, me interesé mucho más por la lingüística, que es al final de cuentas mi profesión. Pero cuando estuve en Alemania derivó en la filología y ésta tiene las dos cosas que me gustan: el estudio erudito de una lengua (en mi caso, alemán e inglés) y la literatura. Entonces eso fue lo que aproveché.

MG: ¿Qué representa el acto de la escritura para ti y cómo elaboras tu obra?

GDA: Es un acto de creación. No me convence mucho, el hecho de que algunos escritores se hagan llamar tales, haciendo recopilaciones de algún material. Claro, escriben en el sentido de transcribir algo que alguien les ha contado, una leyenda, o lo que sea, pero el acto mismo de escribir para mí es la creación pura. Es decir, sacar un cuento de la nada, de algo que antes no había, que a nadie le habían contado. Para mí, los que escriben lo que les cuentan son transcriptores y no escritores.

MG: En el acto de escribir ¿tienes un proceso o buscas un momento apropiado?

GDA: Antes de casarme, no, porque escribía cuando se me ocurría, pero después las cosas se complican un poco por los hijos y la atención al marido. Lo que yo aprovecho son las horas de la noche. Es cuando sé con certeza que nadie me va a perturbar y después también uso el tiempo de las vacaciones. En esas ocasiones soy más estricta y en una cartulina pongo "genio trabajando" delante de la puerta de mi despacho y la familia sabe que estoy en proceso de creación. Ellos respetan mi espacio y tienen consideración. Sin embargo, no es fácil, sobre todo aquí en Sudamérica. Siempre se piensa que la mujer es ama de casa y tiene que estar constantemente atendiendo a la familia. ¿Qué estás haciendo? ¿Qué estás escribiendo? ¿Para qué? No se le da la importancia necesaria y a veces ocurre esto hasta en la propia familia. "Estás perdiendo tu tiempo", me ha dicho mi esposo muchas veces.

MG: ¿Qué se siente ser mujer y escritora en Bolivia en este momento?

GDA: Me siento privilegiada y con mucho poder. Realmente me siento poderosa cuando tengo algo que ofrecer, algo con qué alegrar a las personas, elevarles el espíritu.

MG: ¿Cuál es la columna vertebral y la temática en tu obra?

GDA: No tengo una temática precisa. Tengo desde ensayos lingüísticos, netamente profesionales, hasta literatura infantil, poesías para adultos, poemas para niños, sátiras, una novela sobre los niños de la calle. Lo que sí trato de resaltar son los personajes. Desde un principio he procurado que sean femeninos, porque hasta ahora siempre, o por lo general, fueron varones y el protagonismo de las mujeres quedaba relegado. En mi novela *Ururi y los sin chapa* la que lleva la batuta es una muchacha de nombre Ururi, que quiere decir *lucero del Amanecer* (Venus) en aymara. Si bien los personajes masculinos tienen un rol importante y no son sólo complementarios, la principal es ella. Ella es la que posee la inteligencia, las ideas, la que hace las propuestas, la emprendedora, en fin, como es en la vida diaria. Sólo que a algunos varones les cuesta admitirlo o reconocerlo.

MG: ¿Cómo nacen tus personajes femeninos? ¿Es una fusión de varios sujetos femeninos?

GDA: A veces es uno y en otras ocasiones son el resultado de una fusión. Por ejemplo, en la novela en la cual estoy trabajando en este momento, el personaje principal está basado en la vida real, pero tiene las mismas características de 500 000 mujeres que hay en La Paz. "La Jenny" es una, pero en realidad son como 500 000.

MG: ¿Cómo desarrollas a los personajes masculinos dentro de tus obras?

GDA: Trato de poner en evidencia el machismo imperante, que desafortunadamente existe todavía. No soy feminista recalcitrante, pero hago notar el problema. Es una lucha sutil por la mujer y las niñas en Bolivia, que están en cierta desventaja y retraso social y, sobretodo, en muy malas condiciones laborales, que conducen a una precaria situación económica. No en vano se dice aquí que la "pobreza tiene rostro de mujer" y, en el fondo, es algo muy injusto, porque la mujer es la que más trabaja, tanto fuera como dentro del hogar.

MG: ¿Piensas que existe una diferencia entre escritura femenina y masculina?

GDA: No. Esa pregunta creo que ya ha sido absuelta. Simplemente hay los llamados géneros. Las personas de ambos sexos tienen los mismos derechos de escribir lo que ellos quieran. He leído un texto que yo hubiera jurado que estaba escrito por una mujer y resultó ser un varón. También depende del tema. En algunos casos hay temas que apelan más a la sensibilidad y creatividad masculina o viceversa.

MG: ¿Qué espacios son recurrentes en tus obras?

GDA:Nunca me imaginaría, no me pasaría por la cabeza escribir sobre algo que ocurre en una cocina. El ambiente urbano me interesa, porque soy más que nada, urbana. No puedo escribir del campo, porque no he vivido nunca en el campo. Entonces no puedo escribir sobre temas rurales o lo lograría sólo con gran imaginación. Lo urbano es, digamos, mi lugar. El espacio de la biblioteca no aparece en mi obra, tampoco, aunque a lo mejor está mencionada sin darme cuenta. Eso sí, el mundo minero es un espacio al que me siento muy ligada. Yo he nacido en una mina de estaño, en San José, a casi 4000 metros sobre el nivel del mar, y la vida sacrificada, dura y abnegada de los mineros, sus esposas e hijos, fue también la mía, hasta que mis padres decidieron irse a la ciudad porque consideraron que había mejores escuelas para mí y mis dos hermanos. De modo que todo lo que concierne a aquella vida ruda me es en extremo conocido.

MG: ¿Qué representaría el espacio de la biblioteca o los libros para ti?

GDA:La biblioteca es como un santuario. Es un lugar de paz, un lugar donde uno puede explorar sentimientos relajados, y es bueno sacar todo el conocimiento que uno pueda extraer de ahí. Es un lugar muy hermoso. Mi amor por los libros es muy grande y me siento a gusto cuando estoy en ese espacio. También en las grandes librerías. Los libros significan todo para mí. No sé qué haría sin ellos. El placer de la lectura fue inculcado por mis padres y abuelos. En casa se leía, se lee mucho y los libros no son sólo una fuente de información, sino, como dije, de un enorme placer y entretenimiento.

MG: Se ha dicho que hay una conexión entre la mujer y la naturaleza. ¿Está este espacio verde en tus textos?

GDA: Varias veces. Hay un cuentito para niños que, justamente, tiene lugar en un jardín. Los personajes son las flores y hay muchas flores. Lo verde es recurrente en mi obra. Aparte del aspecto feminista, la ecología y los animales son temas en mi literatura. Siempre defiendo a la naturaleza y a los animales en mis escrituras. Sobre todo en la literatura infantil. Claro que para los adultos no tanto, pero también en el poemario *Piel de bruma* hay algunos poemas referidos a la ecología.

MG: ¿Mencionaste que has escrito poesía y narrativa? ¿Cuál es tu género favorito?

GDA: Depende mucho de mi estado de ánimo. A veces me dan vuelta en la cabeza más versos que otra cosa, entonces salen los poemas. Ahora estoy más abocada a la novela y a los cuentos para adultos. En mi caso, son fases anímicas, no tengo preferencia por ningún género en especial.

MG: ¿Qué esperas de tus lectores? ¿Tienes un lector en mente cuando escribes tus textos?

GDA: Sí, necesariamente, porque como escribo tanto para adultos como para niños, tengo que tener mucho cuidado con la edad de mis lectores. Por una parte porque la literatura infantil es muy diferente a la literatura para adultos o para adolescentes y, por otra, porque la literatura erótica, por ejemplo, sólo tiene efecto a partir de determinada edad. Espero que mis lectores rían, lloren, disfruten o se desilusionen, que se les mueva el piso de alguna forma, pero, en ningún caso, que queden indiferentes.

MG: ¿Qué reconocimientos has tenido por tus textos?

GDA: He obtenido varios premios nacionales e internacionales. Estoy muy contenta, satisfecha con lo que estoy haciendo y por el reconocimiento a mi obra, no sólo por parte de mis lectores, sino también de diversas instituciones y países. Esto me hace pensar que estoy en el camino correcto. Disfruto que mis libros se lean y me hace feliz saber que tengo lectores gratificantes.

MG: ¿Cuándo piensas terminar tu novela en la cual estás trabajando?

GDA: En este momento está "durmiendo". No la quiero ni ver. Siempre hago así con mis trabajos. Trabajo algo y lo hago "dormir" 1 ó 2 semanas, si es una cosa corta. Si es un trabajo más largo puede estar meses "durmiendo". Prefiero alejarme un tiempo y pensar en otras cosas. Lo principal es que todo el tema, la idea, todo eso que me estaba llenando la cabeza, ya está afuera. Luego ya veré, porque lo principal para mí es tener el comienzo y el final. Si ya están esos dos elementos, después es ir colocando y cambiando piezas, desarrollar la trama. Desafortunadamente, también depende de mi tiempo laboral. En este momento soy la única asalariada de mi familia y tengo que cumplir con mis obligaciones laborales, lo que hace que la literatura parezca un hobby en mi vida, pero no lo es. Es lo esencial. Espero que sean sólo circunstancias pasajeras y en algún momento pueda dedicarme de lleno sólo a escribir.

MG: ¿Cuál es el título de la novela?

GDA: *La Jenny*. Se trata de la vida de una adolescente, obligada a madurar demasiado pronto por la fuerza de la situación, que la lleva a trabajar en diferentes casas de la ciudad. Ella proviene del campo y no sólo el choque de culturas e idioma son un obstáculo, sino y, más que nada, el machismo en todas sus facetas. Le ocurre una infinidad de cosas, pero el meollo del asunto está en el maltrato, sobre todo de parte de una sociedad machista incomprensiva e indolente.

MG: ¿Cómo nació el libro **Corazones de arroz***?*

GDA: Los corazoncitos de arroz son una golosina hecha de arroz cocido y endulzado, en forma de corazón, muy dulce, que se comen a veces en los recreos. A los niños les encanta comer eso en los recreos. Los tomé como nombre para el libro, en sentido simbólico. Representa a los miembros de mi familia, principalmente. Se trata de una sátira al "Bolivian way of life" y en esto estamos involucrados todos, también mi familia, que tiene que padecer de abusos burocráticos y otras estupideces humanas que, sin motivo ni razón, hacen que la vida cotidiana sea más difícil. Es un librito de edición agotada, de cuyo valor la gente empieza a darse cuenta 16 años después de su publicación. Dicen: "Vaya, sobre esto no ha escrito nunca una mujer". Entonces los frutos de un libro a veces no se ven inmediatamente, sino que a veces pasa el tiempo y de repente pasa algo.

MG: ¿Cómo nació este libro?
GDA:De la rabia y la impotencia. Inmediatamente después de llegar de Alemania, yo ya había terminado mis estudios y retorné a Bolivia de mala gana. La verdad es que me hubiera gustado quedarme allá, donde todo está tan bien organizado. Yo me había acostumbrado mucho a la vida germana, sobre todo a la puntualidad y a que las cosas funcionen como reloj. El libro es súper gracioso porque, desde luego, Bolivia es todo lo contrario. Vivimos en un caos permanente, incluida la famosa "hora boliviana", para la cual no tengo la menor comprensión ni tolerancia. Y a todo esto, le tomo el pelo.

MG: ¿Cuál es tu texto favorito?
GDA:Mi cuento "El velorio".

MG: ¿Cómo nace el cuento "El velorio"?
GDA: "El velorio" existe gracias al Concurso Nacional de Cuento Franz Tamayo. Es anual y es el principal concurso para cuento a nivel nacional. Decidí presentarme y escribí este cuento. Desde luego, el premio en dinero era bastante

considerable, para nuestro medio. Al final resultó siendo parte de la Antología del mencionado concurso, en el que gané la primera mención. No obtuve el primer premio, pero sí la primera mención. Lo mejor de esto fue que el autor ganador me llamó y me dijo, "Gladys, en realidad deberías haber ganado tú". Me pareció muy lindo e hidalgo de su parte, pero él no era jurado y me alegré que él hubiera ganado. "El velorio" es para mí un cuento entrañable, porque forma parte de mi vida en las minas, de lo que he vivido en carne propia, y cuenta la vida nada fácil de la esposa de un minero. Es mi favorito porque, además, está muy bien logrado en términos literarios, eróticos y de uso del lenguaje andino. Este último elemento fue el más difícil de lograr, por lo mismo que soy Miembro de la Academia Boliviana de la Lengua. Para el cuento tuve que ponerme en el lugar de una "palliri" (recolectora de minerales) y olvidarme de academicismos.

MG: Mencionaste que habías vivido 13 años fuera de Bolivia. ¿El hecho de haber estado fuera de tu país, cambió de cierta manera tu forma de escribir?

GDA:Sí, ha influido bastante. Me ha traído problemas porque, como dije antes, yo tengo mucha influencia de la literatura alemana, que es parte de mi formación. La literatura alemana es más concisa, más concreta, no usa lenguaje florido ni exuberante ni rebuscado. Aparte de ello, los autores alemanes trabajan mucho con simbolismos, por ejemplo, desde siempre, desde los hermanos Grimm, por ejemplo. En cambio, en Bolivia, no se conoce mucho de simbología. Yo ya había sido formada de cierta manera en las universidades de Alemania y obviamente producía literatura como la que producen allá. Ahora ya estoy residiendo 20 años en La Paz, entonces escribo un cuento como "El Velorio" que es de tinte andino. Empiezo nuevamente a adaptarme. El lenguaje que se usa no es un castellano puro, castizo de España. Es un castellano andino. Entonces creo que poco a poco me estoy readaptando.

MG: ¿Piensas que es un momento apropiado para las autoras?
GDA: Sí. Las mujeres tenemos un mundo muy rico, o sea, mucho que ofrecer interiormente. Así que las mujeres van a dar para mucho todavía. Creo que como en ningún otro siglo antes, hay tantas mujeres escritoras, no sólo en mi país sino en toda Latinoamérica.

MG: ¿Qué le recomendarías a los escritores que están empezando a escribir?
GDA: Con todo lo que yo he experimentado hasta ahora, realmente escribir es una tarea dura y solitaria. Es un trabajo arduo y necesita ser elaborado cuidadosamente. Recomiendo crecimiento de vocabulario, aprendizaje de recursos literarios que si van a usarlos estaría bien, y si no, que por lo menos sepan que existen. Luego, trabajo, disciplina y sudor. Y por último, mucha pasión y gusto por lo que uno hace.

Liliana De la Quintana de Ovando

I. Reseña biográfica

Nació en Sucre, Bolivia, el 28 de agosto de 1959. Comunicadora, videasta, guionista y escritora de literatura infantil. Licenciada en Ciencias de la Comunicación, Universidad Católica Boliviana. Estudios Superiores en Estudios Andinos FLACSO, Diplomado en Derechos de los Pueblos Indígenas, en Crítica de Arte Contemporáneo y Museología.

Trabaja hace 27 años en la producción de videos y libros para el público infantil y videos documentales sobre pueblos indígenas, animaciones y de videos de ficción. Organizadora de Festivales y muestras de videos dirigidos por mujeres y muestras de video para niños en Latinoamérica. Cofundadora de Producciones Nicobis en 1981 con Alfredo Ovando, donde trabaja durante 27 años como Directora de Proyectos.

Consultora de UNICEF en el tema de derechos de los niños indígenas con la producción de dos libros en coordinación con la Reforma Educativa. Gerente Nacional de Comunicación y Patrocinio de Plan Internacional Bolivia. Obtuvo 12 premios en Bolivia y 19 premios internacionales en festivales de video. Ha escrito 20 libros para niños y muchos guiones para videos.

II. Entrevista

MG: ¿Cómo ha sido tu formación?

LQ: Soy comunicadora social e hice una maestría en Antropología Andina. Con Alfredo Ovando, como videastas, trabajamos hace 27 años haciendo videos de los pueblos indígenas. Hemos realizado documentales, videos ficción y dibujos animados.

La productora se llama Nicobis, que significa "mirar profundo". Nacimos en 1981.

La experiencia con el video ha implicado procesos largos, que nos permitieron tener una relación más profunda con la gente y escuchar muchas historias. El año 1990 fue un momento clave para ampliar mis estudios de mitología, pues fueron parte de la maestría. Entre 1991 y 1999 inicié la recopilación e investigación de mitos indígenas de manera más profesional. Luego realicé para UNICEF un trabajo sobre los derechos de los niños, en 18 pueblos indígenas, lo que permitió hacer varios talleres con los niños y niñas, y de esta manera tuve la oportunidad de reconstruir con ellos un mito de los muchísimos que tiene cada pueblo indígena. Trabajé con los maestros, con los niños y niñas que tenían poco conocimiento de las historias orales, que guardaban en la memoria los ancianos. En cada comunidad había siempre uno o dos ancianos que sabían la versión más completa de un mito.

MG ¿Cuál es el proceso que usas para escribir?

LQ: La primera etapa implica un proceso muy fuerte de investigación. Leer, ver muchos documentos, analizar, charlar con la gente que sabe del tema. He leído bastante sobre la mitología universal. Busco archivos y gente especializada que ha hecho investigación en diferentes etapas históricas, hago muchas preguntas a los ancianos que son una biblioteca viviente. Es una etapa donde te llenas y llenas y después creas a partir de lo conocido. Cuando encuentro un personaje en especial que me marca lo sigo. Otras veces nace un personaje y tengo claro el conflicto, entonces empiezo a desarrollar la historia. Hay ocasiones que pasan más de tres meses y no escribo ni una palabra. De pronto, empieza la historia a estar dentro de mí y hay una necesidad de que salga y ese es el proceso más fuerte, el del nacimiento. Luego vuelan las historias y los personajes. Pero también hay que dejar reposar un rato las historias, para que maduren. Releer después de un tiempo. Cuando uno cree firmemente que ya está listo, el libro va en buen camino.

MG.: ¿Qué representa el acto de la escritura para ti?

LQ: Un acto de libertad. Al escribir tienes ese mundo que no tiene fronteras, en el que uno realmente puede tener lo que quiera, como uno siente y donde tú quieres. Yo creo que es una de las actividades de mayor expresión de libertad, pero también de gran responsabilidad.

MG.: ¿Cuándo empezaste a escribir?

LQ: Empecé a escribir a los 10 años, fue un cuentito muy corto que recibió mucho apoyo de una tía muy querida. De una forma más profesional, cuando empecé a hacer los guiones de cine, en los años 1979 y 1980, en la universidad. Los mitos y otros cuentos, a partir de 1989.

MG.: ¿Qué influencia ha tenido la mujer profesional, en la mujer escritora?

LQ: Obviamente la profesión te da muchos instrumentos. En la carrera de Comunicación llevamos redacción y ortografía. Eso ha influido mucho en mi escritura. En la maestría fue muy rigurosa la investigación y la lectura. Los innumerables viajes a muchos lugares de Bolivia, donde tuve la gran oportunidad de conocer gente muy sabia. Todos esos elementos han contribuido en el aspecto de seguir mejorando todo el tiempo, tanto en lo profesional como en lo personal.

MG: ¿Has recuperado los mitos orales para ponerlos en un texto escrito?

LQ: El mito es oral y como tal se va recreando de persona en persona. No hay una versión tajante sobre un mito, que sea la única y verdadera.

También he ido a las fuentes más originales, como fueron los cronistas españoles, que recogieron durante el siglo XVI y XVII, y a la de los antropólogos que han trabajado durante el siglo XX.

Toda esta riqueza oral tenía que ser más conocida. Encontré que al realizar adaptaciones literarias de los mitos, junto a muy buenas ilustraciones, podían ser un material muy valioso para los niños. Es un público al que quiero llegar en especial, pero obviamente esta a disposición de todos. De esta manera nace la colección mitológica indígena de Bolivia, mostrando otros universos, otros cielos y nuevos personajes, que a la gente le encanta. Siempre reconozco que es un mito creado colectivamente y que los autores intelectuales son los pueblos indígenas.

Entonces hay una combinación muy buena, los mitos de tradición oral, que es la parte espiritual de un pueblo, que lamentablemente esta perdiéndose, y que ahora están en libros que también pasaran este conocimiento a otras generaciones.

MG: ¿Podrías hablarme de los Wawa libros?

LQ: Son libros muy sencillos sobre la parte material de las diferentes culturas, son complementarios a los mitos. Estos libritos nos muestran la realidad en la que viven los niños y las niñas de los pueblos indígenas. Describen en ocho ilustraciones la forma de vivir de un pueblo indígena, y esto puede ser desde sus actividades cotidianas hasta los momentos más especiales, como son las fiestas y ceremonias.

MG: En los mitos que recreas noto mucho la presencia del espacio verde ¿Qué función tiene la naturaleza?

LQ: La naturaleza dentro de los mitos es primordial. La naturaleza es la madre, la que enseña, la que da, la que protege, la que castiga. Para nosotros, que vivimos en las ciudades, no está la naturaleza tan evidente como en el área rural. No logramos reconocer que la naturaleza nos está enseñando cosas. De pronto somos bastante sordos a esa llamada y alerta de la naturaleza. He escrito algunos libros para una institución, que son parte de una colección de cuentos sobre los desastres naturales en Bolivia. Aprendí muchísimo a reconocer las señales que envía la naturaleza y lo que quiere decir y en este aspecto debemos cultivar este conocimiento. Tenemos que convivir con la naturaleza, no para destruirla, pero sí para entenderla.

MG: En tus obras, ¿cuál es el personaje que predomina más, el masculino o el femenino?

LQ: De preferencia mis personajes son niños y niñas. Lo que trato es que los niños a partir de estas lecturas se puedan identificar y al final decir: "Nosotros también podemos lograr hacer cosas valiosas". En algunas historias muestro con mayor énfasis la falta de reconocimiento al valor de las labores femeninas, porque sin ellas el mundo tendría sólo una pata y por lo tanto no estaría equilibrado. Trato de mostrar que hombres y mujeres tienen un valor específico en la vida y son complementarios.

MG: ¿Recreas los libros o el espacio de la biblioteca en tus textos?

LQ: Yo te diría que la biblioteca, y hay varias maneras. La biblioteca es un recurso que puedes utilizar para aumentar el conocimiento. Ahora tenemos un maravilloso acceso a través del Internet. La biblioteca que más conocemos es la que tiene libros, pero, en verdad, muchos ancianos y ancianas son bibliotecas andantes.

La oralidad como un gran valor está siempre en mis cuentos, donde hay un anciano como referencia del conocimiento.

MG: ¿Qué representan la biblioteca y los libros para ti?

LQ: Es una gran preocupación que tengo, que los niños puedan acceder a los libros. Siempre mi padre me impulsó a la lectura. Él casi me obligaba a leer tres libros por semana. A veces sentía un peso enorme, pero empecé a tomar gusto por la lectura y sentí su influencia positiva en mi vida. Podía viajar a muchos lugares sin moverme de mi silla, conocer a mucha gente de variadas culturas, aprendía sobre temas que jamás ni siquiera pensaba, era un descubrimiento tras otro. Una biblioteca es un tesoro y algo que aún sigo haciendo es leer. Así me siento más libre.

MG: ¿Cómo desarrollas a tus personajes femeninos y masculinos? ¿Tienen el mismo tratamiento para ellos ya sean niños o adultos?

LQ: Tengo preferencia por los niños y las niñas, en particular, y el personaje femenino. La abuela es un personaje que a mí me gusta mucho, porque probablemente mi propia referencia es mi abuela materna con quien compartí mucho, y también está mi madre con respecto a mis hijas. Las abuelas son personajes valientes que logran superar pruebas. Siempre tienen la respuesta precisa y además están tan llenas de ternura. Una abuela es el mejor de los regalos que nos da la vida.

MG: En cuanto al tiempo, ¿cuál es tu preferencia?
LQ: Por una parte me atrae mucho los primeros tiempos, aquellos en los que nace la vida y hay una explicación mágica para todo. El tiempo actual y contemporáneo sirve para prepararnos mejor frente a los desafíos que encuentra el ser humano, como por ejemplo, los desastres naturales y el cambio climático.

MG: ¿Hay alguna conexión entre todas tus colecciones o son independientes? ¿Existe una columna vertebral?
LQ: Fundamentalmente, mis libros son parte de las historias de los pueblos indígenas, de su sabiduría y de la diversidad que tenemos en Bolivia. El área andina donde viven afros, aymaras, quechuas y urus, y en el área amazónica, Oriente y Chaco, donde se expanden más de veinte pueblos indígenas. Los libros que sólo ven la parte didáctica se vuelven duros, rígidos, cuando sólo tratan de enseñar. Nuestros libros quieren ser como unas mariposas, que al leer nos trasladan a otros espacios y mundos de los que podemos disfrutar. Busco que los libros nos comuniquen y nos entretengan, que sean divertidos.

MG: ¿Lo fantástico aparece en tus textos?
LQ: Sí, sobre todo en la colección de mitología. Son mundos con seres fantásticos e historias fantásticas.

MG: ¿A qué edad va dirigida la colección?
LQ: La serie de mitología está dirigida a niños y niñas de 8 años hacia adelante. Y los Wawa libros son para más pequeños, desde los 5 años.

MG: ¿Qué representa para ti el ser escritora y mujer en Bolivia?
LQ: Por doble partida siento una gran satisfacción de ser ambas cosas. Como mujer y como escritora puedo crear vida. Pero también, en ambas, hay algunas etapas que me-

recen ser superadas. Por ejemplo, la literatura para niños se la ve como la menor de las literaturas, no tiene mayor reconocimiento. Cuando tú lees la antología de la literatura boliviana, la literatura infantil tiene uno o dos nombres clásicos, de grandes escritores como Oscar Alfaro, que es clave en nuestra literatura, pero luego no están otros nombres que están aportando en el área literaria. En mi caso particular, tengo grandes satisfacciones como escritora y como mujer, porque hay una recepción muy buena de todos mis libros.

MG: ¿Qué esperas de tus lectores?

LQ: De los niños y las niñas espero que se dejen cautivar por todos estos otros mundos, como tenemos la posibilidad de ser cautivados por la literatura universal. Espero que ellos también puedan hablar del *Sol Glotón*, de *Los hermanos Ayar* y de La abuela grillo, con el mismo sentimiento y cariño que le puedan tener a *La caperucita* o a *La cenicienta*. Que realmente puedan reconocer nuestra propia literatura, la boliviana.

MG: ¿Piensas que existe una diferencia entre una escritura femenina y masculina?

LQ: Creo que evidentemente somos dos naturalezas diferentes, por lo tanto percibimos las cosas de forma diferente. Pienso que hay una diferencia entre una mirada masculina y una femenina, pero a la vez también puede haber una gran sensibilidad de ambas partes. No por ser mujer puedes ver mejor las cosas. No por ser hombre ves con más claridad. Yo creo que son dos miradas diferentes y ambas pueden tener diferentes grados de sensibilidad, respeto y compromiso con lo que hacen. El hecho sólo de ser mujer no te garantiza nada, pero sí tienes una mirada diferente. Fundamentalmente, la diferencia está en la mirada de compromiso y sensibilidad, porque hay hombres que tienen una sensibilidad magnífica. Muy sensibles, muy comprometidos, muy serios en su trabajo y creo que eso hace la diferencia, como creo en una mirada femenina comprometida.

MG: ¿Qué otros libros has escrito?

LQ: He escrito un poco de ensayo, pero mayormente cuentos y muchos guiones literarios. La mayor parte de los guiones para cine, video y televisión de estos 25 años, en un 98% son guiones míos. Tengo unos 70 guiones. He iniciado una nueva colección que se titula "Ananay", que en quechua significa bonito, y ya tengo tres cuentos, que están inspirados en historias particulares de niños y niñas que viven aventuras y desafíos en situaciones complejas, y que logran salir transformados y con importantes conocimientos para el resto de su vida.

MG: ¿En qué proyectos estás trabajando en este momento?

LQ: En la serie de *Wawa libros*. Como en Bolivia hay 36 pueblos indígenas, estoy trabajando en un atlas etnográfico bien completo. En el caso de la mitología son siete libros y quisiera llegar a diez.

Lo que estoy trabajando ahora es un proyecto que se llama "La casa Azul". Es un proyecto de televisión educativa sobre el medio ambiente. Tenemos maravillosas áreas protegidas, parques nacionales, santuarios, donde estamos haciendo hincapié en la riqueza de fauna y flora, de paisajes, de pintura rupestre y diversidad cultural. Todo lo que implica un área protegida para nuestra sobrevivencia como seres humanos, y eso quiero ponerlo también en forma de libros.

MG: ¿Qué recomendaría a los escritores que están comenzando a escribir?

LQ: Particularmente pienso que el poder escribir implica gran disciplina, y el poder imprimir libros implica que estás preparado para difundir. El hecho que difundas implica una gran responsabilidad. Si bien el escribir es un acto de suprema libertad, porque puedes poner lo que quieres, también es un acto de gran responsabilidad, porque es un privilegio el poder escribir y poder compartir los contenidos en un libro. Pero también te lleva a preguntarte qué estoy diciendo. Mi verdad no es la verdad de todos. Lo más importante es que este gran acto de libertad conlleve una gran responsabilidad. Jamás denigrar a nadie y no tener ningún acto de racismo, discriminación, ni un mensaje de odio a ningún grupo, sino dar un mensaje positivo de la vida. No nos corresponde el privilegio de escribir para hacer daño, sino para construir puentes de entendimiento.

Katherina López Rosse G.

I. Reseña biográfica

Nace en La Paz en enero de 1972. Egresada de Turismo
(Universidad Católica Boliviana). Licenciada en Literatura
(UMSA). Tiene varias publicaciones colectivas en periódicos
y libros de cuento y poesía. Ha publicado el libro de poemas
Oler a tiempo encerrado (2007). Es coeditora de la editorial
"ALMATROSTE". Es carpintera y tejedora.

II. Entrevista

MG: ¿Cuándo comenzaste a escribir?

KL: Yo empecé más tarde que otra gente. Fue más o menos después de divorciarme, cuando entré recién a la carrera de Literatura y comencé a hacer cositas muy pequeñas. Siento que soy tímida para hablar y se me hace más fácil escribir y expresarme mediante la escritura. El escribir me salvó la vida.

MG: ¿Qué representa el acto de la escritura para ti?

KL: Es como lograr reinventarme a mí misma, reinventar mi mundo, reinventar todos los recuerdos que tengo; ya sea mi abuela, mi hijo, mi ciudad, mi todo. Es a partir de la escritura que me muestro que puedo.

MG: ¿Sé que te gusta la brevedad? ¿Cómo defines el microcuento?

KL: Plasmar en dos palabras básicamente toda una trama. Me parece que va más hacia la imagen. Tienes la capacidad de presentar en una o dos imágenes lo que podrías desarrollar en diez páginas. Creo que es lo que yo trabajo principalmente.

MG: ¿En tu escritura predominan los personajes femeninos?

KL: Sí, definitivamente, ya que uno escribe a partir de su cuerpo. Mi cuerpo es femenino y es a partir de allí que escribo. La escritura es vivencial. De acuerdo a las experiencias que uno tiene va creando su imaginario poético.

MG: Tus personajes pasan por diferentes etapas, la niñez, la juventud, la vejez, predominando la etapa de la vejez.

KL: vejez me interesa muchísimo. Esto a partir de la obra de Jaime Saenz. Él te dice que hay que pretender estar muerta, o hay que estar muerto, antes de ser devorado por la muerte. Y ¿qué ese estar muerto? Es la conjunción del vivir y el morir, de la que se nutre tu materia poética. Y me parece que para mí, el ser viejo es el vivir en este espacio, en el que no estás ni totalmente vivo ni totalmente muerto. Me gusta mucho trabajar el desgaste, el deterioro y jugar a la vez con la niñez. Los viejos niños. Tengo un cuento aquí, que se trata de eso, justamente de dos hermanos viejos. Puedes imaginar al viejo que está jugando a la pelota con sus amigos. Tres viejos corriendo con sus cuerpos arrugados, desgastados. Y a ella puedes imaginarla igual vieja, sentadita en una mesa tomando el té con sus muñecas. Me gusta mucho ese juego de ambas edades. En la que no sabes si estás hablando de un niño, que es a la vez un viejo.

MG: ¿Por qué es tan recurrente la imagen de la vejez?
KL: Para mí fue muy fuerte la relación que tuve con mi abuela. Creo que a casi todas las mujeres nos marca la abuela. Para mí, ella era mágica, increíble y me tocó de distintas formas. Por ahora sigo con esto de la vejez, aunque siento que ya en algunos cuentos voy quitándolo, pero es algo con lo que he empezado. Es el primer puerto en el que me paré, el del desgaste, de la vejez, del descubrir la lentitud.

MG: Y el tema de la vejez ¿está presente en la poesía?
KL: Trabajé eso en mi tesis. Una tesis creativa, que es nueva, digamos. La obra poética se llamaba *Oler a tiempo encerrado*, la primera parte trata de la mujer vieja. La poética fue armada como si fuera un viaje en el que te vas deslizando por distintos puertos. Y obviamente, he tocado autoras que me han tocado a mí, como Antonia Palacios, de Venezuela. Ella trabaja con la vejez, pero desde sí misma. Es muy, muy fuerte. He trabajado con Alejandra Pizarnic como otro puerto. El de la muerte como una eternidad. Y finalmente, con Ana Ajmatova dentro de una estética de la crueldad. Son tres partes: desde la

mujer vieja, desde el hombre en la pérdida de la memoria, y desde el niño muerto. Pero es la voz femenina la que manda. El libro se llama *Oler a tiempo encerrado* porque trata, primero, del encierro que tiene ella en su cuerpo, como vieja. El hombre y su recuerdo que está encerrado en su memoria. Y el niño muerto es el niño que guarda en su vientre, muerto y seco.

MG: Se podría decir que uno de los temas presentes que formaría la columna vertebral de tu obra sería le vejez, el tiempo, el espacio entre otros.

KL: Ahora, la vejez. Como te digo, es un primer puerto en el que yo estoy.

MG: El espacio verde de la naturaleza, el bosque, el jardín, las plantas ¿están presentes en tu obra?

KL: No, es más cerrado, es más de detalle. Aquí mucha gente escribe sobre la ciudad de La Paz. Es muy común, la ciudad es vista como algo abierto. Yo más bien la veo como algo cerrado y como algo de lo que puedes escribir en detalle. Puedes escribir al caminar en la calle, de la espalda de la persona que va delante de ti o de cualquier cosa. Normalmente me gusta recorrer el cuerpo, inventar nuevas cosas, algo extraño. Crear un cierto aire de extrañeza , de poesía, puedes llevar de la mano a un niño muerto y él camina muy contento de tu mano, porque él no sabe que está muerto, ni tú tampoco. Entonces funciona dentro de esta lógica, porque estás en medio del vivir y el morir.

MG: ¿Están la biblioteca y los libros presentes en tu poesía o en tus cuentos?

KL: Creo que de algún modo es inevitable, todo lo que leemos se hace parte de nuestra escritura.

MG: ¿Qué representan para ti la biblioteca y los libros?
KL: Son los mundos imaginarios y hay que visitarlos. Ellos forman una parte esencial de mi persona.

MG: ¿Qué representa para ti ser escritora y mujer en Bolivia?
KL: Lo de ser escritora siempre me cuesta un poco, es como cuando te dicen que eres actriz, y tú sabes que cuando tengas como treinta años actuando, recién vas a merecer ese título. Yo siento lo mismo, siento que estoy empezando, y como en unos veinte años o algo así, me voy a sentir escritora realmente, ya teniendo, quizás, más cosas publicadas.

MG: ¿Piensas que existe una diferencia entre escritura femenina y masculina?
KL: Creo que la literatura no tiene género. Pero, el que escribe sí. Tú escribes a partir de tu cuerpo femenino, de tu lado masculino. Es muy difícil, quizá, que un hombre entre en la psicología de una mujer. Creo que hay cierta referencia. No en la misma literatura, pero sí en lo que propone. Alguna vez escuché que la mujer es cuerpo, más cuerpo, más escritura, y es esto que uno escribe a partir de su piel, de su cuerpo. Te tocó ser mujer, tienes otra experiencia y otras sensaciones. Yo soy ama de casa, carpintera, escritora, madre, amante, etc. Eres de todo.

MG: ¿Qué esperas de tus lectores?
KL: Yo creo que todos esperan que les guste, que tiemblen un poco con lo mío y que se les erice un poquito la piel.

MG: ¿Cómo nace tu cuento "Haciendo planes para ningún lugar"?
KL: Es justamente de este juego de la vejez y la infancia. Y nace del relato de una mujer que está ahí con el

101

hermano viejo. Cuando lo ve en la esquina de la mesa, lo ve niño y empieza a recordar cuando él jugaba al fútbol, pero viejo. Está el viejo jugando y a la vez esto se fragmenta con ella, jugando a las muñecas y la imposibilidad de salir de esta casa. En algún momento, ella sale con el hermano a comprar otra muñeca, y siente pánico de estar ahí, no quiere seguir, necesita la seguridad y la vejez, que es lo conocido.

MG: ¿Qué simboliza para ti esa ruptura de las muñecas, esa violencia con la muñeca que está interpretada con la mujer y con el juego? ¿Cómo ves ese elemento femenino, de la muñeca en tu obra?

KL: Que las muñecas son totalmente de las niñas es ajeno a los niños. Y es una alteridad. Es un reflejo de la mujer. No me gustaría darle demasiadas explicaciones. Hay cosas que no han sido escritas para eso, pero si se lo podría explicar como un reflejo femenino, del estar inconcluso de algún modo. La vieja que no puede acabar de morir, sentada a la mesa con muñecas que también están inconclusas. A todas les falta algo, a ella también le hace falta algo.

MG: La muerte, lo fúnebre, las flores secas, la oscuridad, lo negro forman parte de tu obra. ¿Cuál es tu percepción de la muerte?

KL: La muerte es una presencia ante la escritura, así como ésta es una presencia ante la muerte. La muerte poética más que un símbolo es un personaje que siempre abstrae en soledad, tiende a desgravar, a aligerar y a disolver todo lo palpable, como si aspirara a una espacialidad distinta, o a un ámbito extraño.

MG: ¿Qué simboliza para ti la/el muñeca/o?

KL: La muñeca es una especie de exorcismo, que permite habitar temporalmente los miedos. Es la imagen del desdoblamiento en un deseo por encontrarse, por sobrepasar un mundo interior frágil y fragmentado. Es a través de ella, que el tiempo se funde, allí donde la niña puede convivir con la mujer, dentro de un mismo ser.

MG: Muñecas arrancadas, trozos, fragmentación, cosas rotas etc. se vuelven un leitmotif en tu obra creativa. ¿Cómo ves el mundo que te rodea?

KL: Como una búsqueda de sensaciones sumergidas, en lógicas extrañas y simples a la vez.

MG: ¿Cómo ves la globalización en conexión con las autoras?

KL: La idea de globalización no me gusta mucho, pienso que hay una especie de coexistencia en la escritura. Las rutas que seguimos desembocan a su vez en otras escrituras que con el tiempo se transforman en soportes simbólicos y en signos confundidos de distintas maneras con nosotras y nuestro transitar poético.

MG: ¿Cómo planteas el recurso de la memoria y del recuerdo en tu obra?

KL: Yo siento que las mujeres usan la memoria. Alguna vez escuché de un compañero de la universidad que amenizaba las escrituras de hombres y mujeres, y decía: "Todas la mujeres se retraen". Siento que es así, yo vengo de un matriarcado. Abuela, madre, todas hermanas. Mi padre era el único en la casa, como hombre. Y para escribir es lo mismo, y tienes que recorrer las cosas que ya has vivido.

MG: Y muchas veces la memoria, por ejemplo, es fragmentada, siempre hay esos blancos.

KL: Es que la memoria se adecua a tu recuerdo, que no es como ha sido realmente. Y eso es lo que plasmas.

MG: ¿En que proyecto estás trabajando?
KL: Estoy escribiendo otro libro de poesía.

MG: ¿Qué recomendarías a los jóvenes escritores como tú, que están embarcados en la misma tarea?
KL: Hay que ser fiel a uno mismo. De eso se trata la escritura, tienes que estar muy claro con lo que tú quieres, con lo que tú vives, con lo que tú sientes y no puedes traicionarte a ti mismo. Si manejas esto, es posible plasmarlo en el papel, vivir tu realidad social, familiar, tu entorno, todo esto. Uno escribe a partir de uno mismo.

Isabel Mesa de Inchauste

I. Reseña biográfica

Isabel Mesa de Inchauste nació en La Paz, Bolivia, en 1960. Es Licenciada en Ciencias de la Educación y tiene 20 años dedicados a la enseñanza primaria de su país. Trabajó dos años en la Reforma Educativa Boliviana, elaborando los primeros módulos de aprendizaje que realizó la Reforma para todo el país. Además, ha participado como editora en algunos textos de primaria y en varios proyectos de literatura infantil-juvenil. Participó como expositora en varios congresos y seminarios de Literatura Infantil, tanto dentro como fuera de Bolivia. Actualmente es Presidenta de la Academia Boliviana de Literatura Infantil. Es una de las escritoras de mayor éxito dentro de la literatura infantil-juvenil en su país. Con su primera novela, *La pluma de Miguel: una aventura en los Andes* obtuvo el Premio Andino ENKA de Colombia 1998. En 1999 publicó *El espejo de los sueños*, una recopilación de mitos de los pueblos originarios de América del Sur. El 2001 publicó *La portada mágica*; en el año 2003, *La turquesa y el Sol*; y en mayo de 2006, *TrapiZonda: un video juego para leer*, obra nominada entre los mejores libros de literatura juvenil de habla hispana (Banco del Libro de Venezuela). Entre sus cuentos se encuentran la colección *La flauta de plata* y cuentos sueltos como: "El cinturón del Achane" (2000), "La espera" (2000), "Mejor guardarla, por si acaso" (2000), "El cuarto oscuro" (2002).

II. Entrevista

MG: Háblame sobre la experiencia tan rica que has tenido de convivir con tus padres historiadores.

IM: Hemos sido una familia fuera de lo común. Somos cuatro hermanos. El mayor, Carlos, no sólo ha sido Presidente de la República, sino que es un gran periodista e historiador. Mi segundo hermano es arquitecto y profesor. Vive en Barcelona. Yo soy profesora y mi hermana es pintora y profesora. Creo que mi familia ha sido distinta a otras. Todos los hijos influenciados por la carrera de Historia de nuestros padres. Los fines de semana íbamos y ayudábamos a nuestros papás en sus viajes de investigación. Hemos conocido muchísimo, sobre todo las iglesias del altiplano. Tenemos ese *training*. En los almuerzos lo único que escuchábamos eran los nombres de los pintores de la época. A mis diez años no concebía que una niña de mi curso no sepa quién era Melchor Pérez de Holguín. Me parecía ridículo, porque ese pintor del siglo XVII ya era parte de mi familia, prácticamente se sentaba a almorzar con nosotros. Hemos vivido permanentemente en ese ambiente cultural. Tenía sus 'pros' y sus 'contras'. A veces me he perdido de ir al cine o a fiestas, sobre todo cuando vivía en Cuzco. A mis 15 años me parecía la ciudad más aburrida del mundo. Jamás pensé que esa ciudad, que en un principio detesté porque no me daba nada como adolescente, pudiera ser la fuente de inspiración de una de mis novelas treinta años después.

MG: Manejas mucho el aspecto histórico. ¿Qué tanto te apartas de la realidad?

IM: Me aparto muy poco. En primer lugar, creo que no se puede entender a un país si no se conoce su historia. No podrías jamás comprender lo que vive Bolivia hoy en día, con todo lo que le ha pasado, si no conoces su pasado. Conocer la historia a través de un libro de texto es aburrido para los chicos. Por eso yo presento la historia de una mane-

ra más simpática, entonces al niño y al lector lo atrapas y es
más difícil que se olvide de los hechos, si están en un libro
que te ha gustado. Me baso en la historia permanentemente,
pero siempre recuerdo que "puedo novelar, pero no puedo
cambiar la parte histórica". En la época precolombina, que es
el escenario de *La turquesa y el Sol*, por ejemplo, la ficción está
en que Cusi pueda escapar del encierro. Para eso y todas las
cosas que hace posteriormente, necesitaba un personaje un
poco salvaje fuera de los conceptos de la civilización incaica.
Esto significa que tengo cierta libertad de ficción en la carac-
terización de los personajes, pero soy sumamente apegada
y rígida con respecto a la historia.

MG: *A través de tu obra recreas la historia en el presente, como en TrapiZonda y La turquesa y el Sol entre otras.*
IM: Yo quiero que el lector se identifique con el personaje. Cusi es una chica del siglo veintiuno, metida en un
contexto de la época de los incas. Si te das cuenta es la chica
rebelde, es la que va a pelear por sus derechos, sin conocerlos de repente. Ella lucha por su libertad, por algo que ella
ve que es injusto. Paullu es igual, se rebela. ¿Tú crees que
alguien se podía rebelar contra el Imperio Inca? ¡Imposible!,
pero seguro que lo tenían en mente. La idea es que los adolescentes se vean dentro de un contexto histórico, pero al
mismo tiempo tal y como ellos viven la realidad. *En La pluma
de Miguel* ocurre lo mismo porque un ángel es totalmente ex-
temporáneo. No tiene un tiempo determinado. Puede surgir
en cualquier momento y adoptar los trajes del siglo XVII, si
quieres, o el traje del siglo XXIII.

MG: *Otros elementos presentes en tu obra son la bi-
blioteca y los libros. ¿Qué representa la biblioteca para ti?*
IM: He vivido mi infancia en una casa de historiadores.
La biblioteca de mis padres es inmensa. Es como un cuarto

de juegos. Es el ámbito donde aprendimos a leer y a apreciar los textos. No concibo una casa sin una biblioteca. *En La turquesa y el Sol*, los quipus son los archivos. Al principio de *La Pluma de Miguel*, un ángel cuenta que todo lo que ha ocurrido en la humanidad está registrado en el archivo del Cielo. En "La rebelión de los cuentos" todo acontece dentro de una biblioteca. Creo que todo tiene que quedar en la historia y estar registrado. La biblioteca es un mundo. No concibo casas sin biblioteca ni escritorio. Siempre supe que el cuarto más importante en la casa de mis padres era el escritorio y la biblioteca. Así tengo como referencia en el cuento "El cuarto oscuro" el escritorio del papá. La biblioteca estaba allí en la época en la que no había televisión. Era lo que te abría el horizonte y, a través de los libros, conocías el mundo.

MG: El motivo del viaje también se nota en tu obra; sin embargo, en su mayoría es el viaje de dos o más. Más bien cuando están solos hay un temor, un miedo como en "El cuarto oscuro".

IM: El viaje ha sido en mi literatura un recurso para ir y volver a través de la historia. Puedes utilizar una máquina del tiempo que ya está muy trillada, pero tienes que viajar de alguna manera. En *La turquesa y el Sol* se quiere dar una visión de lo más relevante de la historia inca, y voy hacia atrás a través de la borrachera, del sueño, del aletargamiento u otros factores que me permiten alcanzar el objetivo. ¿Qué pasa con los ángeles? Los ángeles llegan a la Tierra y van viajando por la zona andina. Entonces, los hago volar para llevarlos a los distintos lugares. En *TrapiZonda* tengo que ir a la época de los dinosaurios, entonces armo el contexto del video juego con un paisaje de hace sesenta y cinco millones de años, y el niño queda atrapado en ese mundo. También utilizo narradores como en el caso de *La pluma de Miguel* en la que Miguel, que es el relator, va a dar el contexto del siglo

XVII. En *La turquesa y el Sol* se necesita alguien que le vaya contando a Cusi cómo era la vida de los Incas anteriores, y es Mamá Cora la voz del pasado. La trama de "El cuarto oscuro" no es de viaje, es más bien de cómo entender tus miedos.

MG: *¿Qué representa para ti el motivo del viaje?*

IM: El viaje es un recurso recurrente que he utilizado en la mayoría de mis obras, con el fin de llevar a los personajes de un lado a otro. La temática de cada novela viene casada con un recorrido geográfico o cronológico obligatorio para el lector. En el caso de *la Pluma de Miguel*, los arcángeles llegan a la Tierra y en su afán por encontrar y recuperar la Conciencia Humana, tienen que recorrer toda la zona andina. En la *turquesa y el Sol*, la idea no es solamente mostrar cómo pudo haber sido la vida para los adolescentes en el Imperio Incaico, sino mostrar al lector los hechos históricos más importantes de los Incas. Para ello, los protagonistas regresan al pasado para conocer en persona a cada uno de los reyes incas, y lo hacen de las maneras más divertidas: a través de una borrachera, por un golpe en la cabeza, en un sueño, etc. En *La portada mágica* se le encarga al artesano, Luis Niño, buscar decoraciones originarias de las tierras americanas para ponerlas en una portada. Para lograrlo debe recorrer distintas regiones a lomo de mula, en totora o a pie. Finalmente, *TrapiZonda* también requiere de un viaje por todos los sitios en Sudamérica, donde se encuentran los yacimientos paleontológicos más importantes y, de esa manera, enfrentarse a los distintos dinosaurios del cretácico. Por otro lado, con este recurso sí que me siento plenamente identificada, pues durante toda mi niñez y adolescencia, mis hermanos y yo, acompañamos a nuestros padres a recorrer toda la zona andina en busca de las ruinas de alguna cultura precolombina no identificada, de algunos lienzos de la pintura colonial, de iglesias y retablos escondidos en los lugares más recónditos de Perú y Bolivia. Fueron viajes de investigación, acompañados de un sencillo almuerzo, que mi madre llevaba en una cesta y complementados con el equipo fotográfico especializado, para tomar las placas que hoy se encuentran plasmadas en varios libros de historia del arte.

MG: La selva aparece a menudo en tu obra en relación a los personajes niños o adultos femeninos o masculinos, como un ámbito maravilloso o como el peligro que asusta al que entra por primera vez. ¿Qué representa la naturaleza para ti?

IM: Mi literatura es de patrimonio cultural y la naturaleza representa mucho para el indígena, ya sea el andino o el de la selva. Cusi en *La turquesa y el Sol,* por ejemplo, es una persona que vivía en la selva. Ella quiere demostrar a todos que esa libertad y ese tipo de vida son realmente importantes. Para Cusi, el Cuzco —si bien es el New York para nosotros— la encierra. No se explica por qué la gente tiene que usar ropa, ni por qué algunas jóvenes tienen que estar enclaustradas en el acllahuasi. Cuzco puede ser una gran metrópolis, pero para ella no representa la libertad a la que está acostumbrada. En *El espejo de los sueños,* la idea es otra. Para los indígenas de la amazonia, la selva o el bosque tiene un dueño, al cual hay que pedirle permiso para poder cazar. Es un ritual mediante el cual la ecología funciona desde tiempos ancestrales y se va haciendo uso de ella, para no matar y no abusar de la naturaleza. Yo presento más la parte amazónica que la andina, porque en la andina hay menos verde y es más árida. Si bien hay grandes espacios abiertos, no hay tanta naturaleza como en la amazonia. La selva refleja una especie de libertad del ser humano, ligado con la naturaleza, en su primera condición.

MG: ¿Como nacen tus personajes femeninos y masculinos?
IM: Cuando yo era niña, jugaba mucho al fútbol con primos hombres y me encantaba. Por eso a las mujeres siempre las pongo en el papel, en el que podrían hacer exactamente lo mismo que los hombres. No fue intencional y me ha salido de manera natural. Una niñita sentada en una salita tejiendo, bordando en la época, no encajaría. Necesitamos aventura.

MG: Los personajes predominantes en tus obras son los sujetos masculinos ¿Fue adrede o no?
IM: Cuando me puse a pensar por qué había creado sólo personajes varones, ya los tres primeros libros estaban publicados. La respuesta estaba en las tres novelas ambientadas en la época colonial y precolombina. En esos tiempos la mujer no era importante. Luego rompí con esa idea de la importancia del personaje masculino en *La turquesa y el Sol.* En esa novela tenía la posibilidad de poner un personaje femenino, fuerte, rebelde y libre. Cusi es mi primer personaje femenino. En *La portada mágica,* que es anterior, no puedo hacerlo, porque trata de un artesano del siglo XVIII que no puede tener una ayudante mujer, ya que estaría yendo en contra de la veracidad histórica. En *La pluma de Miguel,* no pude tampoco. Si bien los ángeles son asexuados, la obra está ambientada en el siglo XVII, y los personajes como Dios, los demonios y arcángeles son tradicionalmente masculinos.

MG: ¿Háblame de los personajes centrales de TrapiZonda?
IM: Los personajes centrales son niños de colegio, de quinto de primaria. Es una niña y dos varones, que están en el mismo curso. La niña es la estudiosa, cargosa, la que lo sabe todo y es la enciclopedia viviente. El otro es un fanático del fútbol y lo único que le interesa son las computadoras.

Al tercero no le interesa nada. Es un vago, y dice que en el futuro sólo quiere ver televisión y jugar videojuegos. Son los tres tipos de niños que normalmente se dan en una clase. Los tres se van a reunir a hacer un trabajo de dinosaurios y mientras dos de ellos están en el Internet, el otro queda atrapado dentro de la pantalla del televisor y empieza todo el drama y el dilema. La niña es la que tiene que manejar el video juego, porque el niño atrapado no tiene movimiento y es un personaje que se convierte en el protagonista del videojuego. Parte de la novela son las peleas cotidianas entre el niño que está atrapado y ella, que es la sabelotodo. Se dan diálogos muy originales, de los que se hablan en el colegio a esa edad.

MG: ¿Cómo nace la protagonista niña Rebeca en TrapiZonda?

IM: Rebeca nace por varias razones. La primera, es el contacto diario que tengo con los niños y niñas de la primaria. El prototipo de un grupo de trabajo en esa edad (9 a 12 años) es la que presenta *TrapiZonda* y que se conforma, generalmente, por los estudiosos (Rebeca), los técnicos (Sebastián) y los que no hacen nada, pero son muy buena gente (Mateo). En todas las clases hay una Rebeca, la típica sabelotodo, estudiosa y a veces antipática, porque es la que le recuerda al profesor que había una tarea, cuando el resto de la clase quiere ahorcarla por indiscreta. También hay un Sebastián y miles de Mateos. Una segunda razón, es el hecho de que todos piensan que el mundo del video juego es exclusivo de los hombres, o al menos, que sólo lo disfrutan los hombres. A Rebeca no le apasiona el video juego, pero sí que es capaz de adquirir las mismas habilidades que un niño para jugarlo. Cuando se equivoca, como cualquier jugador, es agredida por todos los hombres que la rodean, y sacan a relucir la trillada idea de que las mujeres son unas

inútiles en relación con la tecnología. El carácter fuerte de
Rebeca les demuestra lo contrario y pone todo su esfuerzo por hacer las cosas bien. Una tercera razón es que a esa
edad, los muchachos no pueden ver a las niñas y las odian
profundamente, pasa lo mismo al revés. Los grupos se ven
divididos e incluso los grupos de trabajo están compuestos
exclusivamente por mujeres o por hombres, pero muy rara
vez son mixtos. Cuando un profesor los junta, hay que ver
las malas caras que ponen niños y niñas, de tan sólo pensar
que tienen que ponerse de acuerdo para hacer un trabajo. El
caso de Rebeca es algo distinto, pues todos querrían hacer
grupo con ella, ya que saben que el trabajo saldrá perfecto y
sin poner ellos mucho esfuerzo. Sin embargo, el roce entre
Rebeca y sus amigos es constante. Mateo agrede permanentemente a su compañera y ella se defiende, y viceversa. Sebastián no es una excepción, si bien tiene un papel
conciliador, también hay momentos en que está en contra
de Rebeca y su papel de mujer manejando un video juego.
Una cuarta razón es demostrar todo lo que tiene que hacer
una niña para ser respetada sobre todo por sus compañeros
hombres. Rebeca es una niña muy sensible y cariñosa, pero
se viste de una coraza para demostrar que es una persona
dura. Agrede permanentemente a Mateo, pero en el fondo
lo quiere y su vida le importa muchísimo, aunque jamás lo
va a demostrar, para no sacar a la luz sus sentimientos, que
para ella son signo de debilidad. Rebeca sufre por su amigo
atrapado en la pantalla, pero no quiere que nadie se percate
de esos sentimientos. Esa vivencia de muchos años de maestra en el colegio me ha permitido crear a cada uno de estos
personajes; sin embargo, ya publicada la obra, uno de mis
hijos me dijo algo en lo que nunca había pensado. "Mamá,
tus personajes tienen nombres y apellidos reales y Rebeca
eres tú". Me quedé pensativa y él continúo: "Rebeca es la
Isabel ordenada, organizada, meticulosa, perfeccionista, que

le gusta dar órdenes e instrucciones, que maneja el grupo e impone". La verdad es que no lo había pensado y es posible que mi subconsciente haya creado un personaje autobiográfico, no lo sé, aunque ciertamente me parezco mucho o Rebeca se me parece.

MG: Además del humor, también te vales de lo mágico y especialmente de lo fantástico. La duda, la vacilación del lector y personajes, así como lo sobrenatural forman parte de tu obra.

IM: Al hacer literatura es importante el elemento fantástico y mágico. Creo que es lo mejor de la literatura infantil. Seres sobrenaturales como las sirenas, las montañas que son verdaderos titanes, los dioses con una vida paralela a la humana, un video juego con seres humanos como protagonistas, ángeles y demonios combatiendo. Son elementos al estilo de Star Wars que transportan al lector a un mundo de fantasía y aventura increíble. Es una de las cosas que más me gusta al hacer literatura para niños. Por otro lado, el suspenso también forma parte de mis obras. Mantener al lector rodeado de misterio es otra clave de la literatura infantil.

MG: ¿De todas tus obras cuál la considerarías fundamental?

IM: La pluma de Miguel fue la que me dio el impulso para seguir. Yo había terminado *El espejo de los sueños* y no había casa editora que quisiera publicar el libro, porque nadie conocía a Isabel Mesa. Tocaba las puertas y nadie quería publicármela. Cuando mandé *La pluma de Miguel* al concurso de Colombia y supe que había ganado casi me desmayo. A partir de esto salió la primera publicación con Santillana, una casa editorial importante. Les dije que si querían publicar *La pluma de Miguel*, también se comprometían a sacar *El espejo de los sueños*. En tres meses casi se agotó la primera edición, porque no hay mucha literatura infantil en Bolivia, así que la novela fue un BOOM y se convirtió en éxito. Le tengo mucho cariño a ese libro y es el que más me gusta. A partir de ese momento, Santillana pasó a ser mi casa editora. Todas mis obras me han llevado mucho esfuerzo, pero el que más salida tiene es *La portada mágica*.

MG: ¿Cuánto tiempo te tomó terminar La turquesa y el Sol?

IM: *La turquesa y el Sol* me tomó tres años, teniendo en cuenta que yo trabajo en un colegio en las mañanas y no me puedo dedicar a la escritura tiempo completo. Escritos sobre los incas hay muchos, entonces he tenido que restringir el material, buscar las crónicas y ver lo que me servía, eligiendo lo que es ideal para un libro destinado a adolescentes. Me pasa con todos. *La portada mágica* me ha tomado como un año y medio. *La pluma de Miguel* la hice más rápido, porque era para un concurso. La necesitaba terminar en nueve meses y me puse a trabajar a tiempo completo. *TrapiZonda* me tomó dos años, porque he tenido que estudiar todo lo referente a los dinosaurios sudamericanos. Ha sido mucho más difícil, porque era un campo del que no sabía nada y que abarcaba muchos países. Algo que yo no veo en otras novelas y siempre pongo en las mías, es la bibliografía. Yo la pongo porque quiero que mis lectores sepan que el estudio es serio, que ha tenido muchas fuentes en el que se puede confiar históricamente. También pongo una introducción para indicar el propósito del libro.

MG: En TrapiZonda se proyecta el temor que los textos sean reemplazados por la tecnología y, que a través de un libro puedes trascender más que a través de una máquina.

IM: *TrapiZonda* trata de mostrar las virtudes y peligros de la tecnología. Te darás cuenta que juego constantemente con esos conceptos. La historia se desarrolla en un video juego. Un niño queda atrapado dentro de la computadora y los amigos lo tienen que sacar. Se va lidiando con el concepto de lo que es un video juego, cuánto te puede enseñar y cuán valido es en esta época; y sin duda tiene validez. Pero claro, no deja de ser un temor la sustitución de libros por tecnología. Es por eso que ahora las bibliotecas modernas tienen computadoras y libros, para que el niño pueda elegir lo que quiere hacer.

MG: ¿Cómo nace tu colección de cuentos, La flauta de plata?

IM: Para mi gusto, no sé qué pensarán los demás, soy mejor novelista que cuentista. Yo saqué ese libro a pedido de la editorial. Al final los cuentos gustaron y han terminado en Chile, en Brasil y en otras partes. Creo que los han ido pidiendo a raíz de este libro, pero me encuentro mucho más libre en la novela.

MG: Tus textos son visuales y cromáticos. No sólo pintas con los vocablos sino que agregas las ilustraciones, convirtiéndote en una pintora de las palabras.

IM: Tengo una hermana que es una artista y la que ha hecho la mayoría de las ilustraciones. Para los niños y adolescentes un texto tiene que ir con ilustraciones. Es mi concepto de libro de literatura infantil-juvenil. He escogido pintores que también se avoquen a la ilustración. Son gente muy conocida aquí en La Paz, en Bolivia. Lo bonito de esto es que cuando yo les doy a pintar o hacer el dibujo, jamás les pido lo que quiero. Les doy el texto, les digo que hagan la ilustración de acuerdo a su lectura y nunca les he devuelto una ilustración. Es una libre interpretación. Quiero que muestren lo que como lectores interpretarían.

MG: La escritora interior está presente a través de la madre en "El cuarto oscuro".

IM: Toda la vida he visto una mamá que no cocina, que no limpia la casa. La mía era una mamá que se sentaba en una máquina de escribir, a escribir todo el tiempo. Aún escucho el golpeteo de las teclas. Posteriormente, ya muy mayor, adoptó una computadora. Ella siempre tiene ganas de estar al día. Ella es mi madre y la de muchas de mis historias.

MG: *¿Cómo nacen tus escritos?*
IM: No puedo escribir por encargo, me mata. Cuando alguien me da un encargo creo que se me nubla la mente. Para escribir espero pacientemente que me venga el tema, siempre hago una recopilación muy meticulosa y muy minuciosa. Hago fichas en la computadora y una selección de lo que me pueda interesar. No comienzo a poner una letra hasta que tengo todo mi material seleccionado y recién cuando lo tengo, empiezo a pensar cómo se va a armar la novela. Con los dinosaurios me pasó eso. Cuando terminé de trabajar toda la parte paleontológica no sabía cómo armar la novela. De pronto, aparece la idea del videojuego y comienzo la historia. Son cosas que aparecen de pronto, y las espero con mucha paciencia, jamás me presiono para escribir. Me gusta que el libro quede a mi entero agrado.

MG: *¿Qué representa el acto de escribir para ti?*
IM: Un disfrute. Y tienes que hacerlo bien. Siempre que termino un libro tengo que haber quedado exprimida y con esa satisfacción de que está bien, y que no me arrepiento de haberlo hecho y sacado a la luz. Escribir es un deleite total. La verdad es que yo nunca supe que iba a ser escritora. Empecé muy tarde. Soy maestra hace unos veintitantos años y cuando empecé a escribir fue por gusto. Me gusta mucho la investigación. Podría estar horas metida en un archivo y escribir. Me deleito pensando lo que el lector, al leer, va a disfrutar del libro, lo que le va a gustar y le iba a impactar. Eso es lo que siempre me motiva mucho. Para mí es un hobbie y lo disfruto mucho.

MG: ¿Cuál es tu posición en cuanto a ser mujer y escritora en Bolivia?

IM: Siempre he trabajado de manera independiente, muy lejos de lo que son los círculos; ya sea de pintores, de escritores, de ese estilo. En la literatura infantil, generalmente es la mujer la que escribe, porque la literatura infantil surge a partir de la maestra y a partir de la madre. Siento que es complicado, porque tienes que atender muchas cosas a la vez, pero es tan posible como cualquier cosa, como que uno es pintor y otra es pintora, uno es ingeniero y la otra ingeniera. Ser escritor y escritora es exactamente lo mismo. Para mí no ha sido difícil, porque he podido compatibilizar ambas cosas.

MG: ¿Piensas que existe una diferencia entre escritura femenina y masculina?

IM: No. Cuando una mujer escribe debe hacerlo de manera natural, sin gritar a los cuatro vientos que es una escritora. Cuando la mujer quiere hacer notar que es muy feminista, empieza a hacer una novela tan obvia que cae en lo cursi. Cuando me dieron el premio por *La pluma de Miguel*, el jurado pensó que yo era un hombre y de nacionalidad peruana. ¿Te imaginas? Si sale el feminismo, que sea de manera natural pero no forzada. No creo que debería existir alguna diferencia. Y si existe, es porque tú quieres que exista, y porque lo haces a propósito.

MG: Estás logrando que los niños lean, ya que muchas veces se está perdiendo esa actividad.

IM: Tengo que agradecer mucho a las profesoras que han leído estos libros y les han parecido ideales para tomarlos en las escuelas. Por ejemplo, cuando me invitaron por *La portada mágica*, me decía la profesora que había trabajado portadas barrocas con los chicos, para ver qué elementos les pondrían ellos a sus portadas. Había portadas con guitarras eléctricas o automóviles, entonces el niño estaba poniendo elementos contemporáneos, propios, a una portada española. Estamos recreando, simplemente, lo que es el mestizaje y lo están aprendiendo de una manera divertida. Ésa es la idea, que los niños lean y disfruten.

MG: ¿Qué esperas del lector niño y adolescente?

IM: Cuando escribo, siempre estoy pensando en cómo va a reaccionar el lector ante esta escritura. Escribo lo que yo quiero y lo que pienso. Me río yo misma de mis propios chistes y disfruto de eso. Una vez que armo la historia, la leo muchas veces y la doy a leer a mi familia. Otra cosa que hacía mucho, cuando eran más chicos mis hijos, yo les leía o ellos lo leían y me daban ideas. *La pluma de Miguel* la escribí cuando mi hijo, Marcos, tenía trece años, y ahora tiene 22. Él me ayudó muchísimo. Para *TrapiZonda* también consulté con mis hijos y mis sobrinos. Unos, fanáticos de la computación, y otros, de los videos juegos. Escuchar al niño y al adolescente ayuda a mejorar la obra. ¿Qué espero de mis lectores? Simplemente que se diviertan leyendo mis libros.

MG: ¿Cómo ves la globalización en conexión con las autoras?

IM: Creo que la globalización ha afectado a todas las profesiones y la literatura no es una excepción. Las temáticas y las formas de escribir se han ido abriendo y acomodando a la exigencia del mundo de hoy. En Bolivia, todavía hay mucho camino por recorrer. Los autores seguimos con una temática demasiado local y difícil de sacar afuera. En cuanto a la literatura infantil, el panorama es más complicado. El destinatario es muy exigente y creo que los autores tenemos que responder a las exigencias de los niños y jóvenes del siglo XXI. Yo misma escribo una literatura muy andina. *TrapiZonda* ha sido un intento por dar un pequeño salto hacia el mundo actual, tratando de combinar dos elementos atractivos para los niños de hoy: dinosaurios y videojuegos. Poco a poco los autores tenemos que adecuarnos al cambio de un mundo, que no es únicamente nuestro país, sino que va más allá y que corre a una velocidad vertiginosa que a veces, me parece, nunca podré alcanzar.

MG: ¿En qué proyectos estás trabajando en este momento?

IM: Creo que cada libro me deja exhausta y necesito un tiempo para pensar. *TrapiZonda* es el último y ha salido en mayo de 2006. Estoy descansando un poco, porque no es fácil encontrar un tema. Como me gusta la investigación estoy tratando de trabajar un poco sobre la literatura infantil boliviana. La literatura que yo hago es, básicamente, de investigación, más que espontánea, y necesito siempre agarrarme de la historia.

MG: Eres una escritora bastante disciplinada y cuidadosa de tu escritura. ¿Qué recomendarías a los escritores que se están embarcando en la escritura?

IM: Estoy metida en el género infantil. El género adulto aguanta muchas cosas. El lector niño es más exigente. Para el escritor en general es importante la disciplina y la constancia. Cuando estás embarcado en una obra, creo que le tienes que seguir el hilo paso a paso, dejarla descansar un tiempo y volver a leerla hasta que te satisfaga. Cuando tengo claro el tema, recién me pongo a escribir. El escritor tiene que tener muy clara la meta a donde va. El niño exige mucho la inmediatez. Necesita una acción de reacción rápida. No puedes pararte mucho tiempo en descripciones. Ellos quieren ver los pantallazos rápidos del Internet, del cambio de canal. El lector niño y adolescente es más exigente que el lector adulto.

Blanca Elena Paz

I. Reseña biográfica

Nació en Santa Cruz de la Sierra (1953), es Médico Veterinario Zootecnista con postgrado en Educación Superior. Trabaja como docente universitaria desde hace muchos años. Es narradora, aunque también escribe poesía, ensayo y artículo científico. Se ha desempeñado como Directora Ejecutiva de la Casa Municipal de Cultura "Raúl Otero Reiche" y ha representado a Bolivia internacionalmente en el VII Encuentro Internacional de Escritoras "Rosalía de Castro", realizado en Baiona-Nigrán (España) del 2 al 5 de mayo de 2006, en el Segundo Congreso del Foro Interamericano de Coeducación y Cultura de Paz

(Universidad Metropolitana de Ciencias de la Educación - Santiago de Chile, del 25 al 30 de octubre de 2004) y en la "Feria Internacional del Libro en Miami". Miami Dade Community Collage. Wolfson Campus 300 N.E. 2° Avenue (Downtown Miami). Quipus Cultural Foundatión. USA (20-25 de noviembre de 2002). Formó parte del reconocido movimiento de vanguardia: Taller del cuento nuevo, bajo la dirección del escritor y periodista Jorge Suárez. Su cuento "Historia de barbero", incluido en *Onir* (cuentos). Editorial La Hoguera, 2002, ha sido llevado a la pantalla chica en cortometraje. PREMIOS Y DISTINCIONES OBTENIDOS: (12 de mayo de 2004) Declaratoria de "Huésped Grato". Primer Encuentro de Escritores de Santa Cruz y Sucre. Gobierno Municipal de la Sección Capital Sucre. Ordenanza Municipal N.° 049/04. (20 de junio de 2003) "Reconocimiento" por trayectoria y aporte a la cultura y la educación. Organizadores del II Festival de Oratoria "Directo al Corazón" Universidad Evangélica Boliviana. (10 de octubre de 2002) "Distinción al Mérito". Área: Cultural. Por el aporte a la literatura nacional. Asociación de Mujeres Universitarias Profesionales. Santa Cruz, Bolivia. (Premio 1986) "II Concurso de Literatura Juvenil". FUL-UAGRM. Santa Cruz, Bolivia. (Premio 1985) "Concurso Departamental de Literatura". FUL-UAGRM. Santa Cruz, Bolivia. (Premio 1985) "Juegos Florales Universitarios". FUL–UMSA. La Paz, Bolivia.

Tiene publicados dos volúmenes personales de cuentos: *Onir*. Edit. La Hoguera, Santa Cruz, Bolivia, 2002. Y *Teorema*. Edit. Litera Viva, Santa Cruz, Bolivia, 1995. Y comparte el fascículo Medusa de Fuego N.° 2, con el escritor Víctor Montoya, dentro de la colección de literatura erótica publicada por Edit. La Hoguera, Santa Cruz, Bolivia, 2004. Está incluida en antologías internacionales y nacionales como: *Voces sin fronteras: Cuentos, Relatos y Poemas*. Éditions

ALONDRAS. Montreal, Québec, Canadá. 2006. *Breve poesía cruceña II*. Editorial Río de Pie, Santa Cruz, Bolivia, 2005. *Boliviano Narrativa del Trópico* (bilingüe: español-inglés). Edit. La Hoguera, Santa Cruz, Bolivia, 2004. *Antología de antologías: los mejores cuentos de Bolivia*. Edit. La Hoguera, Santa Cruz, Bolivia, 2004. *The Fat Man From La Paz*. Seven Stories Press, New York, 2000. *La otra mirada*, Edit. Alfaguara-Extra, La Paz, Bolivia, 2000. *Cuentos a la sombra del tajibo*. Editorial Alfaguara-Infantil, La Paz, Bolivia, 2000. *El niño en el cuento boliviano*. Forfattares Bokmaskin. Stockholm, Sweden, 1999. *Oblivion and Stone*. The University of Arkansas Press, Fayetteville, 1998. *Fire from the Andes*. University of New México Press, Albuquerque, 1998. *Cuentos para niñas y niños*. Muela del Diablo Edit. La Paz, Bolivia, 1998. *Antología del cuento femenino boliviano*, Edit. Los Amigos del Libro, La Paz, Bolivia, 1997. *Antología del cuento boliviano moderno*. Edit. Acción, La Paz, Bolivia, 1995. *Die heimstatt des tío: Erzählungen aus Bolivien*. Die Deutsche Bibliothek. Zürich: Rotpunktverl., 1995. *Breve poesía cruceña*. Comité Editorial, Santa Cruz, Bolivia, 1990. *Taller del cuento nuevo*. Edit. Casa de la Cultura, Santa Cruz, Bolivia, 1986. *Literatura desde la universidad*. Edit. Universitaria-UAGRM. Santa Cruz, Bolivia. 1985. Sus cuentos también han sido incluidos en las colecciones didácticas de *Literatura y Comunicación*. Editorial La Hoguera, Santa Cruz, Bolivia y *Lenguaje, Lengua y Literatura*, además del *Nuevo Multitexto* de Santillana de Ediciones S.A., La Paz, Bolivia, 2007.

II. Entrevista

MG: ¿Podrías hablarme de tu ámbito familiar?

BEP: Provengo de familias tradicionales cruceñas. Mi padre, intelectual progresista, falleció convirtiéndose en una de las víctimas de la represión de 1971. Mi madre es profesora normalista de educación física y actualmente está jubilada. Estuve casada durante 8 años después de los cuáles me divorcié y tengo un solo hijo, que es Ingeniero Industrial.

MG: ¿Cómo ha sido tu formación literaria?

BEP: No me formé en literatura de manera "académica". Mi formación universitaria está orientada en las ciencias biológicas: estudié Ciencias de la Salud y luego Medicina Veterinaria y Zootecnia. Reconozco que, de manera autodidacta, le dediqué (y continúo dedicándole) más tiempo al estudio de la literatura que a mis dos carreras juntas. Leo desde muy pequeña y asistí a talleres literarios (de poesía y narrativa) nacionales e internacionales.

MG: ¿Qué representa el acto de la escritura para ti y cómo elaboras tu obra?

BEP: Una actividad creativa racional que realizo en la soledad. Un acto doloroso y de júbilo a la vez. Voy elaborando mis eventos alrededor del título (siempre escribo primero el título). Después de vaciar mi idea capital, me dedico a trabajar la técnica y posteriormente a cumplir con la etapa más larga, que es el trabajo artesanal o la revisión del lenguaje.

MG: ¿Cuándo empezaste a escribir y cuál fue el detonante que te llevó a hacerlo?

BEP: Si se puede llamar "escritura" a los primeros experimentos y borrones, comencé en la escuela primaria. Solía declamar en las fechas marcadas para actividades cívicas y otras hasta que encontré que algunas poesías, de las que debía memorizar, no eran de mi agrado y decidí escribir otras.

MG: ¿Cómo desarrollas a tus personajes femeninos? ¿Tienes el mismo tratamiento para los personajes masculinos?
BEP: No tengo el mismo tratamiento para personajes femeninos y masculinos. Lograr la empatía con estos últimos me resulta más difícil. Si bien no tengo recetas para plantear mis personajes femeninos, los defino por lo que hacen. Mayormente los pongo a trabajar en el cuento, haciéndolos actuar a partir de sus propias mentes y conciencias que son los espacios atractivos para que mis personajes cumplan con sus secuencias. Mis personajes femeninos son más sensibles, al mismo tiempo tienen una visión múltiple de cada aspecto de la vida. Obviamente para mí es más sencillo construirlos, porque puedo lograr la empatía más fácilmente. En cambio, se me dificulta un poco el planteo de mis personajes masculinos, porque la naturaleza del hombre es distinta. Su forma de hablar no es la misma que la de la mujer. Mis personajes masculinos son quizá más serios, tal vez más predecibles en comparación con los femeninos.

MG: ¿Piensas que existe una diferencia entre escritura femenina y masculina?
BEP: Creo que la literatura puede ser buena o mala, sin depender del sexo de quien la escriba. Indudablemente, hay una temática preferida por escritoras y es obvio que el abordaje de cada tema también muestra, claramente, la diferencia. Solamente por este aspecto distingo la literatura llamada "femenina".

MG: ¿Qué representa ser mujer y escritora en Bolivia en este momento?
BEP: Aún es una infracción. Pese a que cada día somos más y esto nos gratifica, la escritura en nuestro país

pareciera estar reservada para el ejercicio de los varones. De manera continua "debemos" demostrar que podemos también realizarla nosotras y ser doblemente buenas para persistir, porque mientras escribimos, simultáneamente debemos dedicarnos a otra actividad laboral que económicamente garantice nuestra subsistencia. La escritura, de por sí, un oficio de gratificación espiritual, lamentablemente es una labor soslayada en Bolivia: no reporta ningún otro tipo de estímulo que no sea el reconocimiento de los lectores.

MG: ¿Recreas en tu libro Teorema (1995) aspectos como la soledad, la violencia, la muerte, lo político, lo sobrenatural e inadmisible, el poder de la mente como parte de los personajes niños y adultos de tus cuentos. Asimismo, la presencia de espacios poéticos interiores y exteriores conectados con los personajes? Uno de los espacios es el jardín, la selva, el espacio verde como añorado y ansiado por los niños o la mujer, pero al mismo tiempo temido, cuando se penetra en la selva ¿Qué representa el espacio verde para ti?

BEP: Los espacios verdes en mi obra, obviamente representan la selva en la que he nacido y de la que estuve alejada la mayor parte de mi vida. Mi libro *Teorema*, en gran parte fue escrito durante mis años de estudios universitarios en La Plata, y de manera ficcional, es el reflejo de las guerras sucias y dictaduras sufridas por varios países de América Latina. Soy chaco-amazónica y la añoranza por mi región está latente en la totalidad de mi primer libro. Por razones ajenas a mi voluntad, porque los niños no elegimos, me tuve que criar fuera de mi tierra y gran parte de mi vida la pasé alejada hasta de mi país. Estudié en La Paz la primaria y la secundaria y luego fui a la Argentina para formarme a nivel universitario. Para mí era un anhelo poder regresar a mi patria. La poesía también está omnipresente en mis trabajos, porque es mi primer amor. Lo que plasmé en *Teoremas* son

128

reminiscencias, quizá un intento de aprisionar lo duro que me tocó vivir fuera de mi país porque durante mis años de estudio, del espacio verde, como decís, tuve que vivir la guerra sucia y la represión en la Argentina, esta última, similar a la que acabó con la vida de mi padre.

MG: He disfrutado de la lectura del cuento "Simetría". Me gustó mucho porque te vales de lo fantástico para presentar la duda del lector y de los personajes, con la intención de mostrar la solidaridad femenina entre hermanas y el deseo de proteger el espacio propio de sus juegos. Asimismo, cómo se fusionan la realidad y la ficción hasta hacerse invisible ¿Cómo nace este cuento? Y ¿qué simbolizan para ti Alba y Aurora?

BEP: El tema de los gemelos y mellizos es recurrente en mi literatura, así como el de mundos o universos paralelos. Alba y Aurora son para mí las dos mitades que existen y cohabitan en cada persona.

MG: En cuentos como "La luz", "Variación en círculo", "Penélope", entre otros, se aprecia el acto de leer y el deseo de los personajes de estar en contacto con los libros. ¿Qué representan para ti los libros y el espacio físico de la biblioteca, que adrede o no, están presentes en tu narrativa?

BEP: Los libros registran los códigos, léxicos, símbolos y rituales de los que nos valemos los humanos para transmitir lo que pensamos, hacemos, sabemos y sentimos. La biblioteca es el cerebro y el corazón de nosotros como especie, nunca será para mí un espacio rígido ni frío. Los libros son mis pasadizos, porque a través de ellos puedo penetrar en el mundo de otros. En los libros no sólo encuentro un esbozo intelectual de las personas, sino su mundo espiritual, con todos sus miedos y fantasmas. Para mí, cada biblioteca no es un ámbito simple, sino mi casa.

MG: ¿Cuál es tu opinión en cuanto a la globalización y las escritoras?
BEP: La globalización es un fenómeno que implica desafíos. Personalmente, me preparo de manera permanente para mantener mi propia identidad (ante el bombardeo de otras realidades). Valoro mucho el aporte de herramientas, de soporte y difusión de la obra que a través de Internet oferta la globalización. Disfruto supliendo la necesidad permanente de mantenerme al día en el cómo, y el qué se escribe en diferentes partes del planeta. Siempre estuve de acuerdo, por ejemplo, con la ruptura de la barrera lingüística. Aunque repito, me ha valido algunas críticas por parte de mis coterráneos, los cuales decían que por haberme educado fuera, desconocía el registro coloquial de mi pueblo y no es así. Nunca me he desprendido de mis raíces, mucho menos de las lecturas de la obras de mis paisanos y coterráneos, pero, al mismo tiempo, me di cuenta de que la lengua regional, a veces no era comprendida más allá de los límites departamentales, y yo tenía y tengo necesidad de ser leída también por personas de habla diferente. Es decir, quise que al leer mi obra la comprendiera alguien que viviese, por ejemplo, en Argentina, Estados Unidos y España.

MG: En tus poemas de la Breve poesía cruceña II, la voz poética es una escritora interior. La página en blanco es un jardín y los puntos de la imaginación están abiertos para ser plasmados y elevados a un nivel poético. ¿Qué representa la poesía para ti?
BEP: Una auténtica y bella abstracción del pensamiento.
MG: Háblame de tu poema "Onidra".
BEP: Onidra es mi ciudad inventada. Una ciudad antigua y casi abandonada por la que ha recorrido mucha gente mayormente guerrera. Sólo intento mostrarla casi oculta y entre las sombras.

MG: ¿Cómo nace el título Onidra? Veo una referencia a lo onírico.
BEP: Sí. Es un nombre que resulta de la unión del sueño con la piedra.

MG: El libro Onir se mantiene enlazado con los textos anteriores y habla de la muerte y los espacios interiores y exteriores prevaleciendo la presencia de diferentes estereotipos femeninos como la mujer sola, la madre, la monja, la prostituta, etc., con una voz propia que hablan desde adentro, desde la memoria y el recuerdo. Estamos ante sujetos femeninos que muchas veces se rebelan en el espacio privado para sentirse más auténticos. ¿Cómo nace este texto y cuál fue el detonante que te llevaron a escribir Onir?
BEP: Sólo quise reunir trabajos, cuya temática sea el amor y la muerte. En *Onir*, mis personajes son en su mayoría femeninos y lo que hago por ellos es respetar sus propias voces, en cada caso. En *Onir* lo que he querido registrar es un espacio no habitual de trabajo. Es decir, no un espacio físico como uno más de los elementos narrativos, sino la mente de cada una de las mujeres de mis cuentos. He recibido alguna crítica por respetar la voz de algunos de mis personajes, por ejemplo, en el caso de las prostitutas. Pero considero que debe haber coherencia entre la forma de hablar de ellas y sus vivencias, ambiente, edad, extracción social y nivel cultural. Tal como ocurre en *Teorema*, quise que en *Onir* mis personajes también tengan vida y que no sean planos o "de papel".

MG: ¿Qué esperas de tus lectores?
BEP: Que puedan comprender los códigos que utilizo, para contactarlos dentro del lenguaje propio de la literatura y que interactúen en cada uno de mis cuentos.

MG: ¿En qué proyectos estás trabajando?

BEP: En este momento tengo un capítulo de una novela y algunas bolsas de bosquejos para cuentos; lo que no
tengo, lamentablemente, es tiempo suficiente para sentarme
a hilar en la computadora. Temporalmente no me siento bien
de ánimos, por esta razón.

MG: ¿Qué recomendarías a los escritores nuevos?

BEP: Que perfeccionen diariamente su obra, sin dejar-
se deslumbrar por los premios, porque estos, a veces, en vez
de estimular, destruyen. Existen escritores jóvenes que por
el hecho de haber obtenido un premio, ya no trabajan para
mejorar su obra. Mi otra sugerencia es que lean mucho antes
de plantear su propia propuesta, para no caer en vacíos.

María Soledad Quiroga

I. Reseña Biográfica

María Soledad Quiroga (1957), poeta y narradora boliviana nacida en Santiago de Chile. Entre sus obras se cuentan: *Ciudad blanca* (1993), *Recuento del agua* (1995), *Maquinaria mínima* (1995), *Casa amarilla* (1998), *Los muros del claustro* (2004), *Islas reunión* (2006). Ha participado en conferencias, festivales de poesía y ferias del libro en Bolivia y en el extranjero.

II. Entrevista

MG: ¿Cuándo empezaste a escribir?

MSQ: Empecé a escribir desde muy pequeña. Tenía cuatro o cinco años, todavía no sabía leer y escribir, pero quería escribir, entonces le dictaba poemas a mi madre. Ella tomaba la cosa con mucha seriedad o me hacía sentir eso. Creo que esa experiencia fue muy importante para mí, me dio seguridad en lo que yo hacía. Conservo aún algunos de esos escritos y otras cosas posteriores, de cuando ya escribía con esa letra redonda de niña. Mi padre era escritor y, en la casa, la literatura era algo siempre presente. Recuerdo que en la casa se escuchaba con alguna frecuencia grabaciones de poesía.

MG: ¿Qué representa la poesía para ti?

MSQ: Es fundamental, porque me permite expresar lo que soy de verdad. En otras actividades o en otras esferas de mi vida, no logro expresar todo eso, no hay otra forma de hacerlo. Es como si la escritura fuera un órgano, un miembro que me permitiera hacer algo distinto de todo lo demás, y si no lo tuviera, me estaría negada esa posibilidad. La escritura es realmente importante para mí. Es un acto de regocijo y motivo de gran disfrute.

MG: ¿Has escrito tu obra desde tu posición de mujer?

MSQ: Yo no he intentado nunca hablar desde el sitio de una mujer. Tampoco, por supuesto, desde el sitio de un hombre, no podría hacerlo. Me parece que la literatura, la creación literaria, permiten encontrar un espacio de liberación, que no es necesariamente femenino o masculino.

MG: ¿Predominan en tus escritos los personajes femeninos?

MSQ: Puedo imaginarme ambas situaciones, ser mujer y ser hombre, construir un personaje masculino, no representa una dificultad mayor que construir uno femenino. Ahora, no sé si el resultado es igualmente feliz en ambos casos, pero para mí no hay mayor dificultad en general, de hecho buena parte de mis personajes son masculinos.

MG: ¿Qué representa el acto de escritura para ti?
MSQ: La tarea de la escritura es muy placentera. He escuchado muchas veces decir a gente que escribe, a amigos y a escritores que uno lee, que la escritura es un trabajo que implica cierta dosis de sufrimiento. Eso, para mí, resulta ajeno, escribir es un gozo, aunque a veces cuesta, aunque no siempre las cosas fluyen, siempre es una alegría. Y hay ocasiones en que pareciera que uno toma simplemente un dictado, porque todo llega de manera muy sencilla, sin ningún esfuerzo, entonces uno se siente un pequeño dios.

MG: Algunos espacios que he notado en tus textos son el jardín, la selva, la naturaleza, el árbol inclusive como un refugio para el sujeto masculino ¿Cómo nace tu cuento "El árbol que da tazas de té".
MSQ: El cuento surge a partir de un dibujo. No tengo mayor talento para el dibujo ni para la pintura, aunque siempre los he sentido como un amor imposible. Muchas veces me ponía a dibujar, antes más que ahora, sin ningún propósito claro, sólo por el placer de dibujar. Una vez comencé a dibujar, y como no sé hacerlo bien, dibujé lo más sencillo: un árbol, y no sé porqué, en vez de dibujar las hojas o manzanas colgadas de las ramas o pájaros, empecé a dibujar tazas. A partir de esa imagen quedó la idea de un árbol que da tazas de té, días después cuando estaba en situación de empezar a escribir algo, la idea que me vino a la cabeza era esa, el dibujo del árbol con las tazas entre las ramas, que no podían ser otra cosa que tazas de té. En Bolivia la hora del

té en la tarde es una institución, y a mí me encanta el té como bebida. Así surgió el cuento.

MG: El espacio verde está presente en tus cuentos, sin embargo la mano del hombre no se aparta de ella. ¿Es adrede o no?
MSQ: Se trata de naturalezas distintas, mezcladas, podríamos decir. Es un árbol que es naturaleza y al mismo tiempo es otra cosa, porque en lugar de dar un fruto, da una taza de té, que ya es un producto elaborado por el hombre, que es parte de la cultura. Recuerdo que cuando hice aquel dibujo, en lugar de poner pasto o tierra como línea de suelo, hice que el árbol creciera desde una alfombra. La mezcla entre la naturaleza y un espacio construido está ahí presente. En el caso del cuento "La vasija", también está la tierra, pero que ya es otra cosa. La vasija es la arcilla de la que está hecha, pero también es una elaboración del hombre que ya no es naturaleza.

MG: ¿Prefieres escribir microcuentos o textos más extensos?
MSQ: En general me cuesta escribir cosas extensas. Como habrás visto, mi poesía es sumamente breve. Soy afín a ese tipo de poesía de intensidades, más que de extensión. Mis relatos son también breves, aunque algunos han llegado a ser extensos, han salido de esa manera sin proponérmelo. En los más breves, como *La mujer armario* y los otros microtextos de la *Antología fantástica,* hay una lógica que tal vez responde más a la poesía. Esos textos podrían ser tomados casi como poesía en prosa.

MG: ¿Cómo defines el microrrelato o relato cápsula?
MSQ: Son relatos que quizá correspondan a instantes, como una fotografía o un poema permiten presentar las cosas condensadas, presentan la imagen de un instante, o de

algún objeto, de algún ser, de una realidad en su síntesis. Es el caso de los poemas del libro *Maquinaria mínima*, que son sumamente breves. Creo que la brevedad me permite expresarme mejor.

MG: En Casa amarilla *y* Los muros del claustro, *presentas una necesidad de querer ese espacio y la libertad. Hablas de casas, pero casas sin ventanas, abiertas donde haya luz. ¿Qué representan para ti, la luz, el agua y los colores?*

MSQ: El agua, la luz, son elementos básicos y recurrentes en mi escritura, los utilizo de manera más bien inconsciente, pero si hago un análisis posterior, creo que hacen referencia al tema del tiempo, que es fundamental en lo que yo escribo. Tanto el agua como la luz son elementos que representan la fugacidad y la permanencia. En *Recuento del agua,* el agua es un símbolo de la pérdida, en el caso del libro o poema *Casa amarilla,* porque en realidad es un solo poema, el color amarillo representa la luz, la permanencia, en el sentido que, por ejemplo, en un mediodía luminoso uno tiene un poco la sensación de eternidad, de tiempo dilatado y, por lo mismo, de tiempo absolutamente fugaz. En *Los muros del claustro,* se narra el tránsito a lo largo de un día, representado por la luz, es el viaje de la luz a lo largo de un día. Ambas son experiencias que para mí no es fácil explicar, fuera de los propios poemas, en otro lenguaje que no sea el de los poemas. Es casi un viaje espiritual que es sólo traducible a través de esas palabras.

MG: Háblame de tu libro Maquinaria mínima.

MSQ: Maquinaria mínima es un libro de poemas sumamente breves, una especie de colección de instantes: una llave, una hoja, un grano de sal. Quise darle un formato distinto al tradicional, para evidenciar ese carácter de colección de pequeñas cosas. No es un libro propiamente, es una pequeña caja de cartón que contiene tarjetas. Cada tarjeta tiene en una cara un poema, y en el reverso, un dibujo del pintor boliviano Fernando Ugalde. Ese libro reúne la palabra y el dibujo del que te hablaba antes como otro amor. No es un libro muy extenso, son como veinte o veinticinco poemas. Llamó la atención por el formato, ya hace tiempo que está agotado y lamentablemente no me queda ningún ejemplar.

MG: Tu poesía es pulcra, nítida y espiritual con luminosidad. Hay luz pero también oscuridad. Hay libertad pero también hay encierro. Por ejemplo, en un poema mencionas que el pájaro "añora el sosiego de la jaula". ¿Lo hiciste con algún simbolismo? esa jaula del pájaro que está libre, pero que añora el espacio cerrado.

MSQ: Creo que hay algo de eso. En distintos ámbitos de mi vida existe esa suerte de dualidad. En *Los muros del claustro* está el deseo de esa paz, que se logra en el claustro. Cuando escribía el libro pensaba en Sor Juana, que eligió un espacio como el del claustro, tan protegido, tan recogido, tan pacífico, que resuelve muchísimos problemas, porque no hay que preocuparse por ganarse la vida, por trabajar, por conseguir alimento, por nada de esas cosas a las que estamos sujetos todos, y que brinda toda la libertad para escribir, para leer, para estudiar. Me parece, pues, maravilloso. En el libro está presente esa idea de la búsqueda de libertad total, irrestricta que, al mismo tiempo, está cerca, porque se da en el espacio del claustro. Esos espacios cerrados pueden ser representados por el claustro, por la vasija, por la casa, que dan la seguridad que es necesaria para todos y que, al mismo tiempo, están abiertos. Son espacios de fuga, de búsqueda. *Casa amarilla* es una casa sin puertas, sin ventanas, sin muros, en la que el pájaro en libertad busca el sosiego de la jaula. Quizá sea ésta una paradoja básica que está en mí misma.

MG: La presencia de la jaula me hizo recordar la casa. Porque la jaula tiene los espacios por donde entra la luz y todo. Un ámbito que no está completamente tapado. Las casas que representas son sin ventanas, puertas abiertas y hay mucha referencia también a las cosas creadas por el hombre. Los espacios liminales están libres, las puertas, las ventanas. Hay una recurrencia dentro de puertas, ventanas y la luz que refresca ese espacio.

MSQ: Hay una cierta voluntad de buscar, como tú dices, en el borde, en el territorio fronterizo entre la libertad y el encierro, así como en la frontera entre la naturaleza franca y la cultura que hemos construido. En esos espacios, en esos bordes está lo interesante. No el uno o el otro, el borde.

MG: ¿Cuál sería la columna vertebral y la temática de tu obra?

MSQ: Es difícil definir una sola. No sé si voy a ser justa al decir esto, pero lo que me viene primero a la mente, a partir de tu pregunta, es la relación con el tiempo. Lo que representa el tiempo para la experiencia humana, para la mía, la permanencia y la fugacidad del tiempo. Obviamente no me siento autorizada a hablar a nombre de todos, pero creo que mi experiencia como la de una persona más puede ser representativa de la experiencia humana, de cómo se vive el tiempo, cómo se vive en el tiempo. Probablemente la dimensión del tiempo sería la columna vertebral.

MG: ¿Qué representan la biblioteca y los libros para ti?

MSQ: Es algo fundamental. Yo siempre he soñado con tener una biblioteca personal, como se podría imaginar tal vez la biblioteca de Borges. Una biblioteca grande, que contiene muchísimos libros, no todos, los importantes para mí, y que es un lugar claro, sereno, siempre agradable para escribir, a diferentes horas, en distintas épocas del año.

MG: ¿Cuál es tu perspectiva de la globalización y los escritores?

MSQ: Bueno, creo que este tema de la globalización, sobre todo en lo que tiene que ver con la facilidad y velocidad que tienen hoy las comunicaciones, el carácter instantáneo del conocimiento de lo que ocurre en cualquier punto el planeta, en lo más remoto, abre posibilidades enormes. Pero también tiene otra cara, la de la pérdida de la cultura propia, y por eso la reacción de exacerbación de los localismos. Yo me siento bastante lejos del apego nacionalista y folclórico, de la escritura telúrica, no es lo que yo escribo, no es lo que me interesa. Tal vez el hecho de haber pasado etapas importantes de mi vida, etapas de formación, fuera de Bolivia, me ha hecho tener una percepción del mundo algo más amplia, no restringida al país y a la ciudad en que ahora vivo. Y creo que es una maravilla que el mundo pueda ampliarse, que uno como escritor pueda acceder a otras maneras de ver la vida, a otras sensibilidades, eso enriquece muchísimo.

MG: ¿En tu opinión existe una diferencia entre escritura femenina y masculina?

MSQ: No, no la veo. Yo creo que uno, como escritor, debería aspirar a escribir no como hombre ni como mujer, sino a escribir desde la condición humana. Y eso lo coloca a uno en una posición que podríamos llamar neutral, si eso es posible, un poco femenina y un poco masculina. Entonces no veo la diferencia, salvo en los casos en que hay un propósito, una voluntad de expresar que se es mujer u hombre, pero creo que esa voluntad expresiva puede llegar a deteriorar lo que se escribe. La escritura tiene que producirse con absoluta libertad. En un relato, en un poema, si hay que ponerse en los pies de un hombre, siendo mujer, pues hay que hacerlo. Una mujer tendría que poder imaginar lo que es ser hombre, porque ella misma tiene también componentes masculinos, así como un hombre tiene componentes femeninos, que deberían permitirle ponerse en la piel de una mujer. Seguramente uno no puede imaginar aquello que no conoce, con la misma riqueza con la que imagina lo que conoce más a fondo, pero creo que éste no es el caso en relación con los géneros masculino y femenino, porque todos compartimos elementos del otro género.

MG: *¿Qué representa en este momento para ti ser mujer y escritora en Bolivia?*

MSQ: Creo que en este momento y desde hace ya bastantes años, la mujer tiene las mismas posibilidades de escribir que el hombre. Puede escribir, publicar con su propio nombre, tiene la posibilidad de reunirse con otras escritoras y escritores. Existen espacios para eso, hay posibilidades de acceder a una biblioteca, de comprar libros, hay posibilidades de viajar. Hoy gozamos de una libertad, de una serie de posibilidades que hacen que estemos en las mismas condiciones que los hombres. En ese sentido creo que somos privilegiadas en relación con mujeres de otras épocas de la historia, en que eso era absolutamente imposible. Yo diría que ser escritora en Bolivia, hoy, es lo mismo que ser escritor. No existe una dificultad mayor por ser mujer. En cambio, creo que tenemos dificultades hombres y mujeres por la situación del país, que hace que la literatura nuestra sea una literatura menor, a la que no se le da la consideración debida.Lo que se publica en Bolivia se lee solamente en el país. No es la situación de países como México o Argentina, por ejemplo.

MG: *¿Diríamos que éste es el momento para las autoras?*
MSQ: En los últimos años se ha dado un proceso de recuperación y valoración de la escritura de mujeres, que es muy importante, pero creo que la tendencia a poner énfasis en las escritoras mujeres, porque son mujeres (tendencia que

viene de las corrientes internacionales) no me parece correc-
ta. Creo que habría que tratar de ver a hombres y mujeres de
igual manera, no pensar en las mujeres como seres con una
desventaja, lo que conduce a las políticas de discriminación
positiva para que puedan tener un espacio y desarrollarse.
Creo que hoy tenemos las mismas capacidades y oportunidades que los hombres y que debería tratarse, por lo tanto, a
las escritoras, exactamente igual que a los escritores.

*MG: ¿Qué recomendarías a los jóvenes que están emer-
giendo en escrituras?*
MSQ: Lo primero y más importante, desde mi punto
de vista, es disfrutar el acto de escribir, permitirse disfrutar-
lo, no por el producto final, sino por el proceso mismo. Y,
por supuesto, una tarea básica es la lectura, alguien que está
empezando a escribir tiene que ser primero un buen lector. Y
no se debería escribir con un propósito, es decir, proponién-
dose ser escritor, publicar lo escrito, esa es la última etapa.
Yo he publicado bastante tarde, siempre he esperado que
pase un tiempo; he escrito y he dejado que las cosas reposen,
pasado un tiempo puedo leerlas ya como algo ajeno, y me
puedo dar cuenta realmente, si están bien o no, si tengo que
corregir, que reescribir. La humildad también es importantí-
sima, no escribir pensando que uno ha producido una obra
maravillosa, que no requiere cambio alguno, sino trabajar y
trabajar, pero con alegría, disfrutando la tarea.

MG: ¿En qué proyectos estás trabajando?
MSQ: Estoy escribiendo lo que espero que en algún
momento sea un libro de poesía. Pero aún no sé, en ocasiones empiezo como narrativa y se transforma en otra cosa, o
empieza como poesía y se transforma en narrativa o, como
te dije, un dibujo termina siendo un relato. Por lo pronto, es
poesía sobre la experiencia del tiempo, pero algo bastante

distinto a mis libros anteriores. Por otra parte, estoy embarcada en la escritura de un relato, que quizá podría llegar a ser una novela corta, sobre un grupo de mujeres.

Para mí también ha sido un gusto conversar contigo. Te agradezco mucho, porque veo que tu lectura ha sido muy atenta, muy penetrante. Y a mí esta conversación me permite también descubrir cosas que a veces uno no ve, sino a través de la conversación con otra persona.

CENTA RECK

I. Reseña biográfica

Centa Reck López nació en San José de Chiquitos-Santa Cruz, Bolivia, en agosto de 1954. De profesión Psicoanalista Clínica. Incursionó en la literatura con su obra *Los Mundos*, publicada en 1995. Se ha desempeñado además como Editora y Directora de la revista infantil *Alfeñique*. Directora del colegio Interamericano Bella Vista. Grupo Garabatá-Proyecto Sur (Bolivia). Columnista en diferentes medios de comunicación bolivianos. Directora del diario La Estrella del Oriente. Codirige el programa televisivo Rayos X. Entre sus obras se cuentan: *Los Mundos, Por otra ventana, La otra mirada, A la sombra del Tajibo, Eva de la Costilla, Paraíso de Cartón, La Trampa del Amor, Panal, Deshojando una historia y Zona Rosa.*

II. Entrevista

MG: ¿Podrías hablarme de tu formación literaria?
CR.: Comencé a escribir en 1995. Desde entonces he publicado cinco novelas y dos antologías de cuentos. Soy psicoanalista y siempre estuve muy inclinada por la literatura, pero también muy absorbida por el trabajo entre otras cosas. A partir de la enfermedad y la muerte de mi padre hubo una transformación en mi persona, que me removió profundamente estructuras muy íntimas, muy interiores, que me hizo replantear muchas cosas. De ahí nació la literatura, ya de una manera más decidida.

MG: ¿Cómo se germina tu libro Los mundos?
CR: Este libro comienza con una introspección sobre la infancia, sobre situaciones infantiles, cruzadas con mundos culturales con los que yo coexistí. Con culturas muy distintas, muy diferentes, donde se mezclaba un poco lo indígena con lo español y el mundo de la familia de mi padre, que era europea. Lo llamé *Los mundos* por esa visión de la infancia, en donde te sentís traspasado por diferentes discursos, diferentes visiones y maneras de ver la vida, al mismo tiempo que vas construyendo los aspectos fundamentales de tu existencia y una mirada del mundo.

MG: ¿Cuál fue el detonante que te llevó a escribir tu novela Por otra ventana?
CR: Resultó a partir de la primera novela que hice. *Por otra ventana* fue un poco encarar la ciudad en la cual había crecido, además de planteos existenciales, donde cada ser está también traspasado por una serie de determinantes. A veces sin saberlo, pero en todo caso, prima el determinismo inconsciente que nos ha definido, y que lleva a que, de manera automática e irreflexiva, el individuo esté buscándose y tratando de encontrar su felicidad.

MG: ¿Te refieres a Santa Cruz?

CR: Sí, mi obra se centra de una manera particular en la ciudad donde yo vivo, que es Santa Cruz. La forma en que la ciudad toma vida, y sobretodo en *Por otra ventana* el marco de nuestras vivencias se puede traducir como el fenómeno latinoamericano de la que forma parte mi ciudad. Hemos pasado muchos procesos sociales, con graves repercusiones sobre la forma en que las personas han construido sus vidas y sus valores esencialmente. Hemos pasado una etapa en la que se apostó a salir de la pobreza, buscando el éxito y la felicidad a través del dinero. Esta fue una etapa en la que floreció el narcotráfico. Entonces, un poco los personajes están construidos y tienen mucho que ver con esta situación especial, de un momento social e histórico.

MG: ¿Tienes alguna preferencia por un género literario en particular?

CR.: Yo me inclino más por la novela, porque me alienta. Me siento mejor en un relato de largo aliento. Es como si tuviera muchas cosas que contar y que decir. Muchas voces me persiguen, se sobreponen muchas ideas. Me gusta la polifonía. Me siento más cómoda, y eso es lo que surge cuando los escenarios son de más detalles, se dilatan, entran en intimidades. En el cuento, a veces, me siento muy limitada.

MG: ¿Qué influencia ha tenido el psicoanálisis en tu obra?

CR: El psicoanálisis ha tenido importancia, porque yo creo que una está traspasada por todos estos saberes, y por el eco de lo inconsciente, que define una manera de mirar por dentro más que por fuera. A mí me cuesta mucho armar escenarios externos. Casi prescindo de ellos, no los necesito. Todo se va desarrollando por dentro, con las voces, con sugerencias, con pensamientos. Entonces, incluso pienso que la técnica, que al final yo fui adquiriendo, surgió en la medida que yo la fui trabajando literariamente. Tiene que ver con lo del flujo de las ideas, con una especie de situación de atención y atmósfera flotante. Eso se nota en mi obra, donde el pensamiento de pronto salta al mismo tiempo que una persona está sosteniendo una conversación. Es decir, el murmullo que hacen tus sentimientos y pensamiento internos, están continuamente traspasando las situaciones cotidianas o conscientes. Es un flujo de lo consciente con lo inconsciente, que se entremezclan.

MG: El tiempo subjetivo es un factor esencial y muy presente en tu obra.

CR: Es el tiempo más o menos del inconsciente. El personaje puede estar en su niñez, entra en ese entramado o está en su presente, o se está proyectando hacia el futuro un poco también. Los tiempos los manejo de acuerdo a esta evidencia interior.

MG: Lo noté en Zona rosa al desarrollar al personaje femenino principal. Se ve ese interior y ese fluir del tiempo y los cambios de espacios. En Zona rosa cada segmento podría ser un cuento independiente como cuentos en secuencia o entrelazados.

CR: Creo que sí está construida también un poco de esa manera. En *Eva de la costilla,* aunque no tiene una secuencia como *Zona rosa,* es un libro de cuentos, pero al mismo tiempo, los personajes son femeninos y pasan distintas situaciones. En cierta forma se podría leer también como una novela. ¿Qué son las Evas? sino las mujeres en distintas circunstancias de su vida, enfrentándose un poco al dilema entre su libertad o su sujeción, o entre el encuentro consigo mismas o el extravío en el deseo del Otro, porque no podemos olvidar que a las mujeres nos cuesta estructurar nuestro propio deseo, nos han enseñado a vivir en función del deseo del otro. Cuando escribo, me asalta siempre una idea global que yo la voy construyendo en detalle después, arranco con una multitud de fragmentos que luego van completando el rompecabezas.

MG: En tu obra hay referencia al jardín, las flores y elementos de la naturaleza. Se ha dicho que la mujer es una proyección de la naturaleza. Al mismo tiempo que ésta es un refugio donde ella se vuelve una experimentadora. ¿Qué papel juega el espacio verde en tus obras?

CR: Sí, está presente porque al final, queriendo o no, todos tenemos una conexión con esa parte cósmica. A veces pensamos que nos hemos distanciado un poco, pero la naturaleza está presente en todos nuestros actos menos conscientes, incluso. Está presente en el lenguaje permanentemente y estamos estructurados de alguna manera con un lenguaje de la naturaleza. Nos referimos a cosas y a situaciones de nuestra vida con una conexión increíble, aunque creemos habernos distanciado. Me gusta generar esa cosmovisión, que, al final, todos somos un todo, con el ambiente con el que estamos conviviendo e interactuando, lo tomemos en cuenta o no.

MG: ¿Cómo creas a los personajes femeninos? ¿Utilizas el mismo tratamiento para los personajes masculinos? ¿Es más fácil desarrollar los sujetos femeninos que los masculinos?

CR: Yo desarrollo más los personajes femeninos. Una de las características de todas mis obras, inevitable para mí, ni siquiera yo me lo he propuesto, es que los personajes femeninos tienen una voz mucho más potente y se visibilizan más. El personaje masculino está más bien definido por ellas, por cómo ellas lo conciben, por lo que dicen o dejan de decir de ellos, por aquello que las mujeres creen y suponen de él. En algunos momentos está hasta casi como un telón de fondo, es más bien lo que una mujer puede ver del hombre, a través del trasfondo del pensamiento femenino. O sea, como que una mujer nunca va a saber bien lo que piensa o siente un hombre. Sólo te queda de ellos lo que te pueden transmitir o lo que vos te podés suponer. Y un poco de eso es lo que yo he dejado traslucir en las novelas que he escrito. En *Zona rosa* se nota claramente este aspecto, y normalmente es un mundo donde las mujeres se están debatiendo mucho, con sus cuestionamientos, con sus preguntas y sus conflictos existenciales. El hombre esta ahí y a veces es casi hasta un pretexto, para que la mujer se pregunte y cuestione cosas más intimistas.

MG: ¿Y cómo desarrollas a tus personajes masculinos?
CR: No construyo mucho al personaje masculino, lo dejo llegar, lo hilvano, le dejo mucho espacio en blanco para que el lector lo reconstruya.

MG: Tus personajes femeninos son sujetos rebeldes que reclaman sus derechos y un lugar propio.
CR: Sí, se rebelan hasta cierto punto. Algunas veces en su impotencia, pero siempre existen actitudes de rebeldía, así no sean activas. Así puedan estar de alguna manera graficadas en situaciones de bloqueo o de pasividad. Las mujeres siempre están cuestionando el orden en el que están insertas, el papel que les ha tocado vivir, las cosas que no pueden decir, el lugar que les ha sido asignado. O sea, indudablemente hay un pedido de explicación, y también un reclamo de mayor libertad.

MG: Sí, noté un poco de eso en Zona rosa, donde el sujeto femenino central rechaza toda esa tradición falocéntrica.
CR: Sí, así sucede.

MG: ¿Piensas que existe una escritura femenina y masculina?

CR: Sí. Aunque se está negando todavía, porque así son las cosas. Me parece que por muchas razones, como que no se quisiera aceptar esto que es evidente. Las mismas mujeres no quieren aceptarlo, se sienten, a veces, hasta heridas en su amor propio como si fuera un pecado. Existen señales de identidad, que te hacen ser y asumirte mujer. Lacan dice que el inconsciente está escriturado como un lenguaje, y que es lo que en realidad te hace asumir tus identidades, entonces no podemos negar que exista un escritura que tenga rasgos, y ciertas características donde aparece tu ser, estructuralmente, también tiene que emerger el ser de la mujer, algunos aspectos de la figura femenina. Negarlo es como decir que no existen hombres y mujeres. Hay aspectos culturales a los cuales estamos condicionados por los sistemas sociales, por la religión y por todo, indudablemente. Pero que esas condicionantes te determinan una manera de ser y de expresarte, y además de constituirte en un lenguaje, en una forma de lenguaje y de expresión, de visión del mundo y de afectos, es indudable.

MG: En tu obra siempre la mujer ocupa un papel central y dominante en comparación a los sujetos masculinos.

CR: Sí, la mujer ocupa un papel esencial y determinante. Yo no lo he querido negar al hombre para nada, simplemente, me ha sido imposible construirlo totalmente y no me he empeñado en hacerlo. No he querido, porque no veo la necesidad. Hay que permitir que aparezcan nuevas aperturas del lenguaje, de la manera de escribir o relatar. Pienso que muchas mujeres todavía se están negando a ellas mismas, que tienen temor de manifestar su escritura, temer salir de los cánones o caminos que se han transitado y del poder que han ejercido los hombres, incluso en el campo

151

de la palabra, del lenguaje y de la escritura literaturalizada, y hay una especie de miedo a ser consideradas diferentes. Parece que de esa manera hay una diferencia que no está siendo aceptada, que hasta cierto punto se toma como malo, ser diferente o valorizar la diferencia, incluso en la literatura, y esto lleva a la posibilidad de que una literatura femenina sea caracterizada, más bien, como algo peyorativo en vez de constituirse en un signo positivo. Las mujeres cargamos la marca y tenemos sobre las espaldas todavía, el miedo a que de alguna manera, si no hacemos las cosas igual que los hombres, nuestras obras no puedan ser vistas como bien logradas. Los hombres también temen a este re descubrimiento de la mujer.

MG: Es importante eliminar esa imagen.

CR: Hay que quitarlo, y *Paraíso de cartón* hace el planteamiento, y presenta el dolor de la mujer que un poco se rompe para poder entrar al mundo, tal como los hombres desean que esté. Es bastante evidente que estamos en un momento de quiebre y de crisis.

MG: En tus obras descubres el lado oculto de la mujer que muchas veces prefiere callar.

CR: A mí me costó mucho desbloquearme, ya que vengo de una educación donde las cosas están muy determinadas, donde todo lo que tiene que hacer una chica estaba muy bien establecido, y habían marcadas diferencias respecto a lo que le estaba permitido hacer a un chico, hablo de las licencias, las libertades y todas las cosas que nos han construido de manera tan diferente. La literatura, y también el psicoanálisis, me ayudaron mucho. Fui descubriendo muchas cosas, muchas postergaciones y muchos dolores acallados, cosas que nunca las mujeres las descubren, porque no pueden, porque sencillamente han quedado bloqueadas a conectarse con determinados sentimientos. Así como el esclavo no se sabe esclavo, al punto que en su condición siente cierto placer y se solaza, se conforma y hasta se siente cómodo; lo mismo ocurre con el pobre, el miserable y con todos los tipos de exclusiones donde los actores o sujetos destinatarios acaban por aceptar a acomodarse. El hecho de asumir una circunstancia lleva a experimentar hasta un cierto sentimiento de satisfacción. Se es feliz de alguna manera, a pesar de estar privado de otras cosas, porque no conoce los otros mundos. Nos pasa lo mismo a las mujeres. Solamente a veces con ciertas conmociones podés empezar a ver otra perspectiva, y eso se constituye en un descubrimiento. Ese gran descubrimiento es el que yo he querido acompañar, a través de la literatura, porque creo que es el terreno propicio para poder hablar de estas cosas. En el plano de lo real. Vos nunca podés presentar las cosas, así se las presenté como una investigación científica, pero no podés expresarlas de una manera tan sensible y visible como en el mundo de la literatura.

MG: Un espacio que me llama la atención, y no lo he notado en todas las escritoras, es el ámbito de la biblioteca, especialmente ahora que la mujer tiene tanta conexión con la profesión y otros espacios públicos. ¿Están presentes la biblioteca, los libros, la escritora interior en tus escritos?
CR: Hay algunas referencias, pero no son muy marcadas, aunque de alguna manera están allí

MG: ¿Qué valor tiene para ti el espacio de la biblioteca?
CR: La biblioteca es el mundo cifrado y enigmático, hasta cierto punto, que nos enfrenta al reto de descifrarlo, de poder internarte en otras comprensiones y en otras dimensiones que no son, exactamente, parte de lo real, sino de la realidad.
MG: ¿Qué representa ser mujer y escritora en Bolivia?

CR: Representa una posibilidad, un gran reto. Es como si trataras de hacer una fisura dentro del esquema monolítico, donde se han movido las relaciones hombre-mujer. Uno puede ir abriendo una fisura, para dejar que empiecen a ventilarse y a salir las cosas que han estado reprimidas, y que van a transformarse en elementos muy importantes, porque van a permitir establecer un diálogo y un encuentro diferente. Yo me siento muy satisfecha de poder formar parte de este momento, que concibo un poco como el umbral, como el punto de partida para entrar en otros territorios de las relaciones humanas.

MG: ¿Es el momento propicio para las mujeres?

CR: Sí, yo creo que sí. Se están produciendo movimientos interiores muy grandes, tanto en los hombres como en las mujeres, y que justamente se debe a esto, a que las mujeres nos estamos animando a escuchar nuestra voz interior, y a no repetir la voz que nos han dejado como un eco de las voces de los otros. O sea, a interferir esa voz y poder dejar salir aquella que ha estado bloqueada. Es un proceso bastante costoso y que se constituye en un gran reto.

MG: ¿Están las autoras en Bolivia organizadas como una institución independiente de escritoras? o ¿están combinadas con los autores?

CR: No. Hay un fenómeno en Bolivia: que las escritoras se convalidan mucho, a través de los escritores hombres. No es mi caso, yo he preferido un espacio un poco más solitario, aunque me duele y me lastima eso. Pero yo veo muchas mujeres que están ingresando y haciendo cosas muy importantes en la escritura, pero siguen estando muy necesitadas de que los hombres las nombren, las denominen, les asignen un lugar en el mundo literario. Es como si se concibieran dependientes, como si siguieran rondando en la idea de que

154

sin la aprobación de ellos no van a lograr nada; más o menos es algo parecido a aquello de constituirse en "la señora de...", que en este caso pasan a ser "la escritora de..." algún escritor que les sirve de padrino, que las apadrina, que las convalida, frente a la sociedad literaria. Por eso te digo que todavía hay muchas amarras que cortar.

MG: ¿Cuál es tu posición en cuanto a la globalización y las autoras?

CR: Creo que la globalización es un criterio de corte 'economicista', puesto que pretende negar las particularidades y lo propio de las identidades que están más allá de los principios económicos y de los intereses, que pretenden hacer de cuenta que todo está en el plano de una homogenización. De cualquier manera, siempre existen valores y principios que hacen que todos los seres humanos nos identifiquemos y comprendamos las experiencias vitales que vivenciamos y trasmitimos.

MG: De todos tus textos, ¿tienes alguno(s) que tenga(n) un valor especial para ti?

CR: Sí, *Zona rosa* Y *Paraíso de cartón*, que es un poco denso. *Paraíso de cartón* es un libro que me costó demasiado, porque incluso trabajé mucho en el lenguaje, en este afán de decir más de lo que se puede decir. Es un libro muy placentero, pero tenés que tener esa predisposición. El texto tiene muchas interpretaciones, incluso lo podés leer sonoramente porque el lenguaje no es tan 'significante', sino que se enlaza con la sonoridad misma, que toma otros significados. Yo le doy un alto valor a *Paraíso de cartón* y creo que todavía en nuestra sociedad, que es muy consumista, estamos muy predispuestos a los libros tipo bálsamo o autoayuda, o al librito que te lo puedes tragar en una hora, o que te hace el efecto de un digestivo o de un sedante.

MG: En **Zona Rosa** *requieres de un lector comprometido con tu texto. Inclusive hay momentos en que aparece que el texto es autoconsciente y va guiando al lector para que continúe con el siguiente capítulo. ¿Qué esperas de tus lectores?*

CR: Espero que se conmocionen, se interpelen y que rompan con cosas interiores que los bloquean. Y como decís vos, quizás, de una manera hasta que a veces la fuerza de esta demanda se hace visible en el texto mismo. Soy una persona un poco inconforme con algunas cosas. Más que todo cuestionadora, tremendamente cuestionadora y, por lo tanto, eso tiene que filtrarse a través de la obra, y por eso, puede dar la impresión que hasta quiero conducir al lector.

MG: En **Paraíso de cartón**, *al igual que en* **La trampa del amor**, *recreas diferentes estereotipos femeninos, explorando el interior, lo íntimo de cada uno de ellos. ¿Cómo nacen tus personajes femeninos?*

CR: Mis personajes femeninos nacen del mundo íntimo, de aquello que las mujeres tratan de ocultar y hasta esquivar por miedo o por vergüenza, salgo del miedo y expreso lo que las mujeres frecuentemente no se atreven a expresar.

MG: ¿Cuál fue el detonante que te llevó a escribir tu novela **Paraíso de cartón** *y cuánto tiempo te llevó terminarla?*

CR: Paraíso de cartón es una novela que expresa abierta y brutalmente, la realidad literaturalizada de Santa Cruz, las angustias, los temores, los deseos, ese espacio-tiempo, en el que muchos pretenden ser, mientras van cargando el peso de quienes le dicen cómo ser, quiénes ser. Pero también debajo de ese caparazón está el rompimiento íntimo con los determinismos, y se instala el dolor que se mezcla con el placer de hacerlo, finalmente. Pienso que *Paraíso* recrea muchos sentires y búsquedas, muchas búsquedas truncadas, muchas existencias y existires.

MG: ¿Te refieres a seres marginados como la prostituta, la trabajadora doméstica, madre soltera etc.?
CR: Sí, a la mujer empobrecida o madre soltera, con una situación social y económica muy difícil, y viviendo más o menos dentro del mismo mundo, pero justamente en otro registro, con otro registro, en el que se proyecta su ser femenino.

MG: La mirada implícita o explícita está presente en tu narrativa, especialmente en La otra mirada. ¿Qué simboliza para ti la mirada, y que función tiene en ese texto?
CR: *La Otra mirada* es la mirada desde el ángulo femenino, desde la otredad, desde la visión que está más allá de quienes hicieron historia, y labraron mitos y paradigmas desde su propia visión. Me gusta esta alternativa, esta otra perspectiva que descubro distinta y hasta fuera de los cánones preestablecidos. Es una posibilidad, una neonarrativa, neoposibilidad de tomar una literalidad lúdica y renovada. Por eso Penélope es distinta, está extraviada en un mundo de certezas, ella no es el puerto, es la incertidumbre, es el desbande, la versión reescrita y redefinida de una mujer que ha sido tocada por las dudas, por ese terreno movedizo de él, que además de ser su amado, es quien ha escrito y redescrito la historia en la que ella se encuentra ensamblada.

MG: ¿Qué recomendarías a los escritores más jóvenes, que están escribiendo en este momento?
CR: Yo les recomendaría que se aparten mucho de las modas, y de todo lo que se aconseja respecto a cómo se debe escribir o que es lo que se debe escribir, porque atrapa a un público meta. Por ejemplo, en Bolivia está sucediendo mucho esto. Muchos grandes talentos pierden su posibilidad,

porque pretenden entrar dentro de lo que está permitido hacer en la literatura, o lo que está de moda en determinado momento. Entonces, yo creo que el escritor tiene que romper con todo ese esquema y tiene que preocuparse de escuchar su voz interior. Y es algo que no está sucediendo. O sea, cuando aparece más o menos un modelo de escritura, todo el mundo quiere copiarlo y se forman grupos, donde se incentiva muchísimo eso y se pierde el tiempo en algo que es absolutamente coyuntural e irrelevante.

MG: ¿En qué proyectos estás trabajando actualmente?
CR: En una novela y tiene un título tentativo, pero no estoy tan segura todavía de que se vaya a quedar con ese título. Por ahora se llama *Copia en papel carbónico.* Va a depender de qué caminos tome. Ahora estoy tratando de establecer un contacto, mucho más cercano con las mujeres que han sido, por mucho tiempo, muy invisibles. Más que todo está la clase media. Pero hay otro sector que son mujeres que tienen otros planteamientos de la vida. Y estoy muy empeñada en conocerlas y ver qué puede salir desde esa óptica femenina. De todos modos lo importante es caminar y, como decían los viejos marineros: "Navegar es preciso, vivir no es necesario".

Giovanna Rivero Santa Cruz

I. Reseña biográfica

Giovanna Rivero Santa Cruz (1972), nació en Montero-Santa Cruz. Es periodista y comunicadora social, graduada de la Universidad Privada de Santa Cruz de la Sierra (UPSA), donde ha dictado cátedra en el área de Semiología, y Publicidad y Propaganda. Sus cuentos han sido seleccionados para formar parte de las recopilaciones literarias: *Voces de las dos orillas*, de la Universidad de Playa Ancha (Chile); *Una revelación desde la escritura*, antología editada por Kathy Leonard, de la Universidad de Iowa, y *The Fat Man from La Paz*, antología editada en inglés por Rosario Santos (Nueva York). Recientemente ha sido incluida en la *Antología del*

Nuevo Cuento Sudamericano "Pequeñas Resistencias 3", de Ediciones Páginas de Espuma, España, 2005. Ha publicado los libros de cuentos: *Nombrando el eco* (1994, Marea Editores), *Las Bestias* (1997), obra con la que obtuvo el Premio Municipal de Literatura en Santa Cruz, 1996; *La dueña de nuestros sueños*, (2002, editorial Correveidile); *Sentir lo oscuro*, libro de fotografías de Kathy Leonard y cuentos de Rivero (2002, La Hoguera). *Contraluna*, Editorial La Mancha, 2005, y *Sangre dulce*, Editorial La Mancha, 2006 (edición bilingüe inglés-español, con el auspicio de la Universidad de Iowa State).

Representó a su país en el Encuentro de Escritores Latinomericanos en Bogotá, Colombia, organizado por las Embajadas de Sudamérica y el Convenio Andrés Bello.

Asimismo, durante el semestre del otoño de 2004, participó del prestigioso Iowa Writing Program en Iowa City University, en Estados Unidos. Obtuvo el Premio Nacional de Cuento Franz Tamayo, a fines del 2005. Actualmente estudia la Maestría en Español del Departamento de Lenguas Romances de la Universidad de Florida, Gainesville.

II. Entrevista

MG: ¿Podrías hablarme de tu ámbito familiar?

GR: Nací en Montero, una pequeña ciudad, a cincuenta kilómetros de Santa Cruz. Soy la mayor de seis hermanos de una familia de clase media. Me casé a la edad de 22 años y me separé hace tres años. Tengo dos hijos: Alejandro e Irene Antúnez, vivo con ellos y este último tiempo ha sido de reconstrucción de nuestra idea de familia.

MG: ¿Cómo ha sido tu formación literaria?

GR: Aunque quise estudiar Filosofía y Letras, opté por la Comunicación Social debido, entre otras cosas, a que mi madre conoció a mi padre mientras ella estudiaba esa carrera. Mi madre abandonó la universidad para casarse, de modo que yo no quería significar la completitud de un interrumpido destino. Siempre dediqué un tiempo cuantitativa y cualitativamente importante de mi vida, a la lectura; sin embargo, la selección de la literatura que consumo se ha vuelto más exigente, en la medida que mi autopercepción de artista ha madurado. Me gusta leer tanto ficción como ensayos y artículos científicos; ambos tipos de literatura me alimentan enormemente. Hoy en día compro y/o leo un libro de acuerdo a las reseñas especializadas que leo, al comentario de un amigo que conoce de literatura y, por supuesto, a mi propio instinto. Confío en mi instinto a la hora de escoger un libro en la librería y me gusta correr riesgos. Los best sellers no me atraen demasiado, sobre todo si ese 'bestsellerismo' no está precedido por una reputación literaria bien merecida de su autor. Cuando era niña, las historietas constituyeron mi principal lectura: el western, la comedia, el melodrama. El cine forma parte de esta constelación: una buena película salva un mal día.

MG: Algunos críticos han mencionado que tomas muy en serio la escritura. ¿Qué representa el acto de la escritura para ti y cómo elaboras tu obra?

GR: La escritura es mi modo de participar en el mundo, en mi momento y una ejecución del pensamiento. Podría decir también que es mi destino, pero cada vez me gusta menos pensar de un modo determinista, ya que esto me quita libertad y me bloquea a nivel creativo. Siendo el cuento mi género preferido, suelo "cazar" la historia de un solo mordisco, escribirla de un tirón y corregirla con más calma. Puede suceder que la historia me dé vueltas durante un largo tiempo (a veces es la idea de un personaje), pero una vez puestos los dedos sobre el teclado es casi imposible establecer pausas. Trabajo mi obra con voluntad, disciplina y si sospecho algún tipo de censura en mí misma, prefiero abandonar momentáneamente la tarea.

MG: ¿Cuándo empezaste a escribir y cuál fue el detonante que te llevó a hacerlo?

GR: Con la conciencia de que se trataba de ficción y de que eso era arte, a la edad de veinte años. Acababa de vivir una decepción amorosa, simultáneamente a mi mudanza a otra ciudad (La Paz) para entrar a la universidad. Mis relaciones con mi padre no eran muy buenas en ese entonces y realmente estaba en una crisis. Escribir fue al principio un refugio. Empezó siendo catártico, pero ahora ha trascendido esa dimensión. Crear es un placer.

MG: ¿Cómo desarrollas a tus personajes femeninos? ¿Tienes el mismo tratamiento para los personajes masculinos?

GR: Los personajes femeninos fluyen con más naturalidad en la transición de la mente al papel, debido, claro, a que mi experiencia de ser persona pasa por el hecho de ser mujer. Es una cuestión ontológica. He trabajado con protagonistas masculinos, pero considero que todavía son arquetípicos.

MG: ¿Piensas que existe una diferencia entre escritura femenina y masculina?

GR: Sí. Esta diferencia puede tratarse de un ciclo: las mujeres publican en mayor escala en el siglo XX, nos leemos unas a otras, unos a otras. El factor sorpresa hace que al principio se trate de una literatura del descubrimiento; incluso si la novela es histórica, pasa por ese deslumbramiento.

MG: ¿Qué representa ser mujer y escritora en Bolivia, en este momento?

GR: Yo empecé a ser conocida como escritora del género erótico y eso tuvo un costo, incluso a nivel personal, de modo que mi "testimonio" está sesgado por esa experiencia. Escribir en Bolivia tiene ventajas y desventajas, que más que con la bolivianidad tienen que ver con el hecho de ser un país latinoamericano, con una industria editorial todavía en desarrollo: un mínimo mercado, falta de estrategias de difusión, casi nula intervención en las estrategias de la cultura de masas. Supongo que en el exterior la idea de una Bolivia literaria es muy difusa y esto constituye un obstáculo. El aparato crítico en Bolivia tampoco tiene un eco muy sonoro —eventualmente contamos con reseñas literarias en los suplementos—. Lo bueno de escribir en Bolivia es que todas esas ausencias que he mencionado, alivian la supuesta misión del escritor. No tiene que demostrar que es un intelectual denso, emboscado. Tampoco tiene que actuar en dirección a un aparato crítico, sea para gustar o para escandalizar. El montaje editorial no constituye una condición. Estamos librados a la suerte, pero esa suerte nos pertenece por completo. En resumen: más allá de ciertos bemoles de que converjan dos variables: ser mujer y escritora, creo que todos los artistas nos enfrentamos a los mismos problemas y desafíos.

MG: La naturaleza verde, como el bosque, está presente en tu cuentística, siendo un espacio de refugio propio, para la realización de sueños y el centro de la tierra. ¿Qué representa el espacio verde (el jardín, las plantas, la selva) para ti?

GR: Mi veta naturalista, vitalista, se resuelve en ese espacio. Es el espacio en el que he crecido y el centro de mi imaginario y fantasía. Otras historias, las que se refieren a la adultez, abandonan este espacio y se mueven en la ciudad, la calle, la habitación etc.

MG: ¿Qué representan para ti los libros y el espacio físico de la biblioteca?

GR: Los libros son mi hábitat. Cuando abro un libro, ingreso en la mente de otra persona, ¿qué hay allí? Todo puede suceder. En casa, no tengo una habitación exclusiva para la biblioteca, pero prefiero que así sea, un estante aquí, una repisa allá. Creo que esta entropía en que viven mis libros me permite una convivencia real con ellos, y les permite a mis hijos apreciar los libros, como seres de un cotidiano íntimo y no como piezas de un museo o un sitio aséptico y fatalmente ordenado.

MG: ¿Cuál es tu opinión en cuanto a la globalización y las escritoras?

GR: La globalización es una apuesta en contra del anonimato y del silencio poderoso. Eleva los factores de competitividad pero abre miles, miles de posibilidades: becas, amistades, lecturas, viajes, contacto con distintas ficciones. Los trucos de la globalización son tantos que el único cuidado que debemos tener es no confundir fama con talento.

MG: ¿Cuál es tu género favorito?

GR: El cuento. Me fascina la intensidad de ese género. Aunque esté leyendo una novela, me gusta leer un cuento completo antes de dormir. La historia terminada es un intento de comprender la vida.

MG: ¿Tienes una novela o un cuento favorito?

GR: Sí, *Olor a nuevo* (figura tanto en los libros *Contraluna* como en *Sangre Dulce*). Este cuento me gusta, porque me demarca una frontera entre dos momentos creativos: el erotismo y la vida privada. Además de que el estilo se torna minimalista. Lo escribí mientras participaba del Iowa Writing Program, en la ciudad de Iowa. Estaba sola, recién separada y revisaba mis propias neurosis. Nada del personaje se parece a mí y ése constituye otro factor por lo que me gusta este cuento: el desapego ficcional como un estadio distinto de la escritora.

MG: Si habláramos de una temática o columna vertebral en tu obra, ¿cuál sería?

GR: Las neurosis. Mis personajes sufren por sus propias neurosis. Más de una vez los lectores y críticos han opinado que mis personajes son extremos y hasta monstruosos. Sin embargo, si revisamos mi mitología, ninguno es un psicópata o un excéntrico, todos son gente normal, que simplemente se acerca demasiado a la visión de sus personalidades. Este *zoom in* distorsiona, excede, estorba.

MG: En tu texto **La dueña de los sueños (2002),** *Irene, Alexandra y Erland se refugian en la naturaleza y los indígenas adultos, como Kika, son los portadores de la tradición oral del pueblo y la transmiten a los niños. ¿Cómo nace el personaje Kika en esta colección de cuentos en secuencia?*

GR: Mi bisabuela se llamaba Kika. Su verdadero nombre era Francisca, pero ella permitía que le dijéramos Kika. Mi abuela acogía chicos y chicas de Guarayos y este contacto me abrió a nuevos imaginarios. Kika es una amalgama de la figura de mi bisabuela y de una indígena que vivía en casa de mi abuela. Es mi símbolo perfecto de fantasía e infancia.

MG: El personaje Azucena de tu novela Las camaleonas *(2001), se embarca en una búsqueda de su identidad/ buildungsroman, y al final gana un conocimiento de su posición de mujer madurando como sujeto femenino. ¿Cómo nace este personaje?*

GR: Nace en una época en que necesitaba "contar". Acababa de nacer Irene, mi hija mujer, y me preguntaba si todo no sería más que una repetición de la historia. Necesitaba una literatura más íntima, arriesgada y algo descarada. La autorreferencialidad es alta en esta novela porque fue mi posición artística. Es mi posición artística. En algunos cuentos me gusta manejar de nuevo esa provocación.

MG: ¿Qué esperas de tus lectores?

GR: Lectura. Espero el elogio del tiempo que dedican para leer una obra mía. Y agradezco algunos mails que me envían; esa compañía es un tipo de complicidad muy, muy especial.

MG: ¿En qué proyectos estás trabajando?

GR: Estoy escribiendo una novela. Me he propuesto no impacientarme, disfrutarla, esculpirla.

MG: ¿Qué recomendarías a los escritores nuevos que están emergiendo?

GR: Lectura. Autocrítica. Y cultivar su propia epifanía: una adecuada dosis de ego es necesaria para crear.

Gigia Talarico

I. Reseña biográfica

Luisa Talarico, a quien todos conocen por Gigia, nació en Santiago de Chile. Ha pasado gran parte de su vida en Santa Cruz de la Sierra (Bolivia). Mientras crecía, aprendía de las experiencias que la gente y la naturaleza que este nuevo país le brindaba: su padre le daba lecciones de italiano, leyendo a Dante, y su madre le enseñaba las cosas más increíbles sobre este nuevo país, que con el tiempo se ganaron un gran respeto, por su belleza. Tuvo un largo período de estudios y experiencias en Europa, de forma breve, vale mencionar algunas que tienen que ver con sus estudios profesionales. Habla varios idiomas y se licenció en

Artes Plásticas en París VIII , Francia, y estudió literatura en Romanska Intitutionen, Frescati, Estocolmo-Suecia. Tiene una maestría en Educación Universitaria del Framinham State Collage, U.S.A. Su trabajo literario se encuentra en varios libros, antologías nacionales e internacionales; haber llegado a ser leída en las escuelas del país es para ella un gran orgullo. En la actualidad trabaja como profesora de Artes Plásticas y la apasiona su trabajo como escritora y como docente. Es Cónsul de Poetas del Mundo y Embajadora de La Paz–Geneve.

II. Entrevista

MG: ¿Podrías hablarme de tu ámbito familiar?

GT: Nací en Santiago de Chile, tengo pasaporte italiano, pero he pasado la mayor parte de mi vida en Santa Cruz de la Sierra, lugar donde tengo mi vida y mis afectos. Soy divorciada y tengo dos hijos maravillosos, como diría cualquier madre, estudiantes ambos, Stefano y Olivia.

MG: ¿Cómo ha sido tu formación literaria?

GT: En realidad soy licenciada en Letras, opción Artes Plásticas, (Francia). Tengo maestría en educación (U.S.A.) y realicé estudios de literatura en Suecia. Soy una lectora empedernida desde que era muy niña; además, escribía poesía de vez en cuando.

MG: ¿Qué representa el acto de la escritura para ti y cómo elaboras tu obra?

GT: Amo las letras. Siempre, desde muy niña, fueron mi pasión; de adolescente era mi forma de escape liberador. Con el tiempo se convirtió en la forma más auténtica de expresión. En cuanto a la elaboración, como lectora exigente, también exijo mucho de las palabras, algo así como un proceso de alquimia. Creo que la poesía y el cuento son el extracto más preciso y precioso de la literatura, y como tal, la elaboración es lenta y exacta.

MG: ¿Cuándo empezaste a escribir y cuál fue el detonante que te llevó a hacerlo?

GT: De adolescente escribía poesía; luego, cuando después de andar dando vueltas por el mundo, aprendiendo idiomas y otras cosillas, volví a Sud América, me casé, tuve a mis hijos y empecé a escribir de nuevo. Siempre me gustó, creo que el incentivo recibido por mi padre de niña fue lo que más ayudó.

MG: ¿Cómo desarrollas a tus personajes femeninos? ¿Tienes el mismo tratamiento para los personajes masculinos?
GT: Sí, el mismo tratamiento. Pero indudablemente el sentir femenino me es más familiar, como supongo que pasa con ellos también.

MG: ¿Piensas que existe una diferencia entre escritura femenina y masculina?
GT: Creo que las únicas diferencias son las que existen en las diferentes formas de ser de los seres humanos.

MG: ¿Qué representa ser mujer y escritora en Bolivia, en este momento?
GT: Bolivia es una sociedad machista, y los derechos como mujer hay que pelearlos en todos los campos. Como escritora, lo más difícil es la sobrevivencia.

MG: ¿Qué significado tienen para ti el espacio verde, el jardín, las plantas, la selva, etc.?
GT: Creo que no puedo vivir en un espacio que no sea verde. Me parece que hay algo en mí que me hace perfectamente integrable a los espacios naturales y, aunque me sé muy urbana en muchos aspectos, no puedo imaginarme sin respirar el verde cada día. Esto también se siente mucho en mi poesía para adultos.

MG: ¿Qué representan para ti los libros y el espacio físico de la biblioteca?
GT: Mi refugio más íntimo.

MG: ¿Cuál es tu opinión en cuanto a la globalización y las escritoras?
GT: No diría que para las escritoras, pero si creo que nosotros los escritores estamos en uno de los pocos medios

que disfruta plenamente de la globalización, y si alguien no lo aprovecha se me hace difícil entender por qué. Pienso que el contacto que esto nos permite, nos enriquece mucho. La dificultad que presenta es la de saber mantenerse auténtico.

MG: ¿Cuál es tu género favorito?
GT: La poesía, los cuentos, las novelas; también disfruto de la filosofía, la historia, la mitología, etc. En realidad, respondiéndote, es fácil ver cómo todo se mezcla.

MG: Si hablamos de una temática o columna vertebral en tu obra, ¿cuál sería?
GT: En narrativa infantil, el rescate de los sueños, la curiosidad; en poesía, el tiempo, los sueños, los mitos.

MG: **Un puñado de sueños** *es un libro en donde la realidad se transforma en un mundo fantástico, penetrando al lector dentro del maravilloso mundo de la naturaleza, salpicado de lo inadmisible. ¿Cómo nace este libro?*
GT: De las conversaciones de los niños, de su mundo lleno de curiosidad, donde el adulto sólo tiene cabida si se permite ser un poco niño.

MG: La naturaleza animal, vegetal y mineral son recurrentes en los cuentos, dándole más colorido a la obra creativa. ¿Cuál es tu concepción con la naturaleza y el ámbito exterior?
GT: Puede parecer extraño, pero me siento como parte de la naturaleza de alguna manera, tanto en mis cuentos como en mi poesía. Por lo menos, esa parte de niña curiosa convirtiéndose en gato, en río, etc. En mis cuentos creo que generalmente soy un gato espiándolo todo para contarlo después; en mis poemas, el agua lavando los recuerdos, etc.

MG: ¿Cuál fue el detonante que te llevó a escribir este texto y cómo nació el título innovador, **Púrpura?**

GT: Púrpura, además de ser mi color preferido, es un color mágico y hasta invisible en el espectro, y además con muchas connotaciones místicas a través de los tiempos. Se me representa como el color que me transporta entre la belleza de la vida y la naturaleza, y el que me transporta a través de los tiempos y culturas, como elemento conciliador y apaciguante. Por supuesto, todo esto es personal.

MG: Después de visitar Santa Cruz puedo entender la recurrencia de la naturaleza en los textos de las autoras cruceñas. Tus poemas están preñados de pájaros, buganvillas. ¿Qué representa la naturaleza viva para ti?

GT: La naturaleza significa todo para mí, creo que hasta el amor se me haría imposible sin magnificencia, pienso que Santa Cruz me amarra y me cobija con la belleza salvaje de su naturaleza.

MG: ¿Podrías hablarme de tu libro **Los 3 deseos?**

GT: Son tres historias en las que los niños transitan permanentemente entre el mundo real y el imaginario, cosa para la que ellos tienen mucha facilidad.

MG: ¿Qué esperas de tus lectores?

GT: De los niños, que se sientan identificados con los personajes y partícipes de las historias en poesía. Que el lector se sienta tocado y le recuerde que esos momentos son parte de su diario vivir.

MG: ¿En qué proyectos estás trabajando?

GT: Acabo de publicar un poemario llamado *Púrpura* (junio, 2006) El anterior fue *La Maleta de Esperanza* (diciembre, 2005) y el anterior, *Ángeles de Fuego* (diciembre, 2001).

Estas son mis últimas publicaciones. También hago parte de *La Nueva Antología de la Poesía Iberoamericana* y de algunas otras. Recientemente salió *Antología femenina*. (Lima-Madrid, septiembre de 2006). Estoy trabajando un nuevo poemario.

MG: ¿Qué recomendarías a los escritores nuevos que están emergiendo?

GT: Lectura, mucha lectura. Creo que no se puede se escritor sin haber sido lector en algunos momentos importantes de tu infancia o juventud.

Gaby Vallejo Canedo

I. Reseña biográfica

Nació en Cochabamba el 24 de septiembre de 1941. Hija de Oscar Vallejo y Carmela Canedo, ambos de la provincia de Tarata. Estudios primarios y secundarios en escuelas estatales. Estudios profesionales en la Normal Católica y la Universidad Mayor de San Simón. Casada, tres hijos. Primeras publicaciones en la prensa nacional en 1966. Publicación de la primera novela *Los Vulnerables* en 1973. Intensa producción: novelas, cuentos, ensayos, relatos para niños, estudios sobre diversos temas. Entre sus libros se cuentan: *Hijo de opa, Juvenal Nina, Detrás de los sueños, Mi primo es mi papá, Manual del promotor de lectura, En busca de los nuestros, La sierpe empieza en cola, Encuentra tu ángel y tu demonio*, etc. Presidente por varias gestiones de la Unión Nacional de Poetas y Escritores, del PEN-Bolivia o filial de la Asociación Mundial de Escritores. Miembro de Número de la Academia Boliviana de la Lengua. Conferencista, panelista, tallerista en diversos congresos de Literatura, Lectura, otros.

Premio Nacional de Novela: Erick Guttentag, 1976.

Lista de Honor del IBBY. Oslo 1988. Mislos Blancos, Internationale Jugend Bibliothek.

Premio Mircea Eliade, Medalla Dante Alighieri, por la Defensa de la Democracia a través de la Literatura: Venecia. 1991.

Premio Nacional de Literatura Juvenil. Ministerio de Educación, 1995.

Premio Nacional al Pensamiento y la Cultura, Fundación La Plata. Sucre, Bolivia, 2001.

Premio Internacional a la Promoción de Lectura IBBY_ ASAHI, Feria Internacional de Libro Infantil, Bolonia, Italia, 2003, compartido con Bibliotecas Hermanas.

II. Entrevista

MG: ¿Podrías hablarme de tu ámbito familiar?

GV: Tengo dos hijos vivos: Huáscar y Grissel y cinco nietos. He sufrido el más intenso dolor que una madre puede sufrir: perdí un hijo de 21 años. Tal vez por el duelo —que dura todavía— he sufrido desde entonces diversos desarreglos de salud. El cuerpo protagoniza lo que el alma esconde. Vivo con Huáscar y su familia y mantenemos excelentes relaciones familiares. No soy un ama de casa que "a veces" escribe. Soy una mujer que ocupa su tiempo en leer, escribir, planificar proyectos, dar cátedra, viajar. La familia me lo ha permitido siempre. Tal vez por eso me divorcié.

MG: ¿Cómo ha sido tu formación literaria?

GV: Estudié la carrera de Literatura y Lenguaje en la Normal Católica de Cochabamba, Bolivia. Posteriormente hice un Diplomado en Literatura Hispanoamericana en el Caro y Cuervo de Bogotá, Colombia. El resto de mi formación literaria vino por mi sed de leer, aprender y actualizarme.

MG: ¿Qué representa el acto de la escritura para ti y cómo elaboras tu obra?

*GV:*Escribir es un acto vital. Me ha acompañado desde muy joven, desde el primer dolor de amor a los 15 años, cuando descubrí su poder liberador y subyugante al mismo tiempo. Me ha ayudado a clarificar el mundo, tanto el interior como el de afuera. Me ayuda a intensificar lo invisible, que nos habita en los sentimientos y las sensaciones. Me atrapa por muchas horas cada día. No concibo la existencia sin la escritura. El proceso de construcción es diverso, dependiendo de cada género literario. Generalmente, para escribir una novela, me persigue por largo tiempo un tema, que en principio es apenas un conjunto de emociones ambiguas, de ideas imprecisas, desordenadas. Cuando se

clarifica, empiezo a escribir sin ningún esquema, casi a bor-
botones. Una intensa emoción me acompaña y siento que
se está armando algo nuevo que estaba esperando adentro.
Y sigo, siempre al impulso de lo que las mismas palabras lo
alimentan. Escribo mucho, como salga. Parece que sucediera
un desborde. Es difícil parar. Muy después llegan las relec-
turas, las preguntas, las mutilaciones de las palabras que a
su vez generan otras etapas de incontinencia, de escrituras
desordenadas, precipitadas. Con frecuencia me doy cuenta
que escribí lo que no había imaginado al principio: un relato
distinto. Es que las palabras, los sucesos que ellas narran son
casi autónomos, me ganan, se imponen. No me dejan opciones. La experiencia directa, los recuerdos, ocupan un espacio
significativo en mi escritura. Luego viene la investigación, la
comparación con la realidad, la complementación. El proceso de revisión es posterior, es más cerebral, más exigente.

*MG: ¿Cuándo empezaste a escribir y cuál fue el deto-
nante que te llevó a hacerlo?*
GV:Ya lo dije, a los 15 años. El detonante: un amor ino-
cente que fue prohibido. No sé cómo, tomé un lápiz y empecé a escribir. Fue un descubrimiento. Aunque se intensificó
el dolor al momento de escribir, se produjo una descarga.
Así escribí por años. Muy después, derivé a otra escritura,
aquella que provenía de las provocaciones del mundo exterior, desde los otros. También fue constante.

*MG: ¿Cómo desarrollas a tus personajes femeninos?
¿Tienes el mismo tratamiento para los personajes masculino?*
GV: Fui una niña rebelde. Como adolescente me volví
más crítica y, claro, no podía estar ausente el comportamien-
to machista de los jóvenes frente al cual asumí una posición.
Algunos de mis personajes femeninos, como "Cecilia" en
La sierpe empieza en cola e Isaura en *Encuentra tu ángel y tu*

demonio tienen mucho de mí, me representan. Por tanto, se desarrollan con mis ideas, mis experiencias. Otros personajes femeninos como Ángela, en *Hijo e Opa*, María en *Los Vulnerables*, provienen de personas conocidas que me han prestado, parcialmente, su vida, sin que lo sepan. Para el tratamiento de los personajes masculinos creo haber trabajado sobre estereotipos: el matón, el traidor, el seductor. Es el recuerdo de personas que corresponden a los estereotipos, lo que los alimenta.

MG: En tus textos muestras una gama de mujeres y sus diferentes estereotipos. La abuela Cándor y la nieta Cecilia son mujeres fuertes, que rompen con los parámetros tradicionales. ¿Qué representan estas mujeres fuertes en La sierpe empieza con cola?

*GV:*La abuela Cándor existió. Mi madre la había conocido, con toda aquella historia del hermano asesino y de la lengua de la venganza. Siempre me fascinó que una mujer de principios del 1900 fuera tan segura y dominante. Le pedía que repitiera la historia. En la novela permite un hilo conductor en el tramado del tiempo entre dos mujeres que se parecen: la abuela Cándor y Cecilia y el contraste de la hija de Cándor, madre de Cecilia, que cede ante la fuerza del machismo, que reproduce al común de las mujeres de mi país. Con estos personajes femeninos busco vasos comunicantes con las mujeres lectoras. Tú lo has captado perfectamente.

MG: Uno de los temas recurrentes en tus obras es el machismo. ¿Piensas que es un problema fuerte en Bolivia?

*GV:*No sólo fuerte, sino difícil de desestructurar. Las mujeres, muchas, hemos asumido con fuerza una nueva situación. Sabemos que es "nuestro tiempo" y que estamos "recuperando el espacio que la humanidad nos debe", pero los hombres de mi país no leen teorías, ensayos, novelas, que desarrollen los temas. Existe un sistemático rechazo a todo lo que tenga que ver con "feminismo" o libros escritos por mujeres. Entonces siguen siendo una muralla. Esa mitad del mundo que necesitamos, no cambia. El cambio es leve. Sin embargo, existimos, algunas ocupamos nuestro sitio, ejercemos nuestros derechos.

MG: Noto que la comida y sus referencias están presentes en tu obra... ¿Es adrede o no ese empalme de comida y literatura?

GV: Jamás me di cuenta. Tal vez sea porque mi ciudad tiene fama de ser la ciudad de Bolivia donde mejor se come, o tal vez porque, inconscientemente, aparecen comidas que las he estudiado en un pequeño libro mío titulado *Comidas y Bebidas Indígenas en Cochabamba*, o tal vez porque quise que el mundo de Isaura fuese llenado también de ese placer que es comer. Me sorprende tu pregunta y la pensaré.

MG: ¿Piensas que existe una diferencia entre escritura femenina y masculina?

GV: Sí. Existe. Si bien en lo esencial, somos seres humanos con las mismas potencialidades, y experiencia vitales, históricamente somos construcciones sociales, ideológicas acaecidas en el tiempo, en miles de años. Nos han enseñado a ser mujeres, a ser hombres. Eso implica centenares de comportamientos, decisiones, elecciones desde "la mujer" o desde el "hombre". Entonces, escribir es transferir esas diferencias al texto.

MG: En **Encuentra tu ángel y tu demonio** *presentas al personaje central, Isaura, embarcada en un viaje de aprendizaje y descubrimiento desde su niñez. Es una mujer que se refugia en la imaginación, la escritura, la radio, la telepatía, la naturaleza, etc. para realizarse como mujer y lograr su fusión con Darío. ¿Cómo nace el personaje central Isaura de este libro?*

GV: Decidí, de pronto, apartarme de las mujeres sufrientes de mis otras novelas. De ahí la aparición de las sensaciones del cuerpo como espacio del placer. Soy yo, mi madre, otras mujeres que conocí. Muchas amigas lectoras tomaron a Isaura como un modelo de reconocimiento de su propio cuerpo y del derecho al placer.

MG: Uno de los aspectos de **Encuentra tu ángel y tu demonio** *es el espacio. No sólo comunicas con las palabras sino también con el espacio, las omisiones y los blancos. ¿Qué esperas de tus lectores?*

*GV:*Eso mismo que dices: que la narrativa, las omisiones, los blancos sean llenados por los lectores a partir de las mínimas sugerencias, de lo implícito. A mí me fatigan las descripciones. Siento que la intensidad se bloquea. Entonces busco que el lector añada el espacio que quiera a partir de indicios, sugerencias. La carga de experiencias del lector añade sin duda lo que falta y tal vez, es más rica en comparación a tenerla descrita.

MG: Tu libro, **Hijo de opa,** *llevado al cine con el título "Los hermanos Cartagena", ha tenido muchas reediciones. ¿Cómo se germina el libro? En Bolivia a qué se le llama opa. ¿Es una indígena retardada?*

*GV:*El libro nació del dolor y del miedo de un país en dictadura. Fue la rabia el principal motor de la escritura. Había muchos muertos, muchos torturados. De ahí la violencia, la fuerza, el horror de las páginas.

Opa, en Bolivia, es un insulto que lleva la connotación de persona retardada mental.

MG: ¿Qué representa Martín en **Hijo de opa,** *el cual, a pesar de haber vivido la violencia desde niño, anida la nobleza en su ser?*

GV: Martín inicia su conocimiento de la ciudad con resentimiento, es víctima de una familia de terratenientes, por eso se implica en grupos sindicales, revolucionarios. Pero es un indígena quechua, raza esencialmente dulce, que termina valorando más el retorno a sus costumbres y a su pueblo, que la revancha social. Para él es más valioso el retorno, para reinsertarse en el pueblo y cambiarlo, que la venganza.

MG: ¿Qué representa ser mujer y escritora en Bolivia en este momento?

*GV:*Representa un indiscutible sitio. Los escritores varones —con excepciones— nos aceptan y valoran. Uno que pertenece a las excepciones, dijo en un almuerzo público: "Por higiene mental no leo libros escritos por mujeres". Y, claro, se desgastó solo.

MG: ¿Qué representa el espacio verde (el jardín, las plantas, la selva) para ti? ¿Está presente en tu obra?

*GV:*Tengo un jardín y plantas de interior. Soy yo quien cuida las plantas de la casa. Mi ciudad, es llamada la "ciudad jardín" de Bolivia, tiene hermosos jardines. Sin embargo, nunca he incluido pasajes referentes al tema en mis novelas, ni en mis cuentos. La selva boliviana es fabulosa. Pero no he estado en contacto con ella más que una vez. La sentí peligrosa, con una energía capaz de tragarse a los hombres. Es todavía virgen. Conozco su valor y significación para la humanidad, como pulmón. Creo que sólo en *Encuentra tu ángel y tu demonio* está presente un espacio verde, la Laguna Cuéllar, que fue desecada en verdad, por un alcalde que prefirió convertirla en canchas de fútbol. Ese lugar muy hermoso está descrito como lo recuerdo, como lo conocí en la infancia y la juventud. Un intento de recuperarla.

MG: ¿Qué simbolizan para ti los libros y el espacio físico de la biblioteca? ¿Aparecen en tu obra?
GV:Los libros son algo fundamental como mi piel, mi respiración. Toda mi vida ha transcurrido entre libros y bibliotecas. No entiendo la vida sin libros. Gracias a ellos he viajado mucho, he sentido el cariño de la gente, he crecido emocionalmente y he aprendido mucho. Escribo muchos prólogos a libros de los amigos y amigas. Escribo sobre libros. Hoy tengo a mi cargo un proyecto de la única biblioteca infantil de mi país, la Biblioteca Thuuruchapitas. En mi casa tengo dos ambientes con libros para mí. Y también hay libros en mi dormitorio, la sala de la televisión, hasta en el baño. Paso mucho tiempo en mi biblioteca personal. Tampoco puedo pensar una casa sin biblioteca.

Están presentes en obras mías, como: *Manual del promotor de lectura, Leer: un placer escondido, Lectura silenciosa sostenida, Papeles de viaje,* que son ensayos destinados a la reflexión e información y memorias de viaje.

MG: ¿En qué proyectos estás trabajando?
GV:Tengo un hermoso proyecto. En Bolivia no existen bibliotecas para niños. Ni siquiera en las bibliotecas públicas, un estante con libros para niños; menos, programas de animación a la lectura para niños, con excepción de la del Centro Patiño. Entonces, hace años que dirijo la única biblioteca infantil de mi país, Tuuruchapitas. Quiero que los niños ejerzan el derecho a leer hermosos libros y el derecho a ingresar en el territorio de la fantasía y de las ideas. Simultáneamente escribo y viajo mucho. Tengo una nueva novela con Werner Guttentag, mi editor. Se la he entregado el año pasado, pero está reticente porque algunas de mis novelas han sido "pirateadas" y las venden los vendedores ambulantes a precios de regalo. El impune juego de los traficantes de libros.

MG: ¿Qué recomendarías a los escritores nuevos que están emergiendo?
GV: Leer mucho. Vivir con los ojos abiertos al mundo. Oír tus propias voces. Escribir mucho. Pensar y escribir más, todavía.

Haydee Nilda Vargas

I. Reseña biográfica

Nació el 17 de marzo de 1949 en una pequeña región del chaco chuquisaqueño, llamada Igüembe. Para cursar el 6.º grado de primaria su padre la trasladó hasta Monteagudo, un pueblo en la provincia Hernando Siles del departamento de Chuquisaca. La separación brusca de sus raíces dejó una honda herida, que la llevó a la cama donde deliró con fiebre por muchos días. En Sucre cursó la secundaria e ingresó a Lengua y Literatura Española de la Escuela Normal de Maestros Mariscal Sucre. Se casó y tuvo dos hijos. En 1978 se trasladó con su familia a Santa Cruz y allí trabajó en colegios de enseñanza secundaria, dos públicos y dos privados. En 1985 ingresó al periódico "El Mundo" como correctora, a los dos años le asignaron la coordinación de suplementos, el dominical, llamado "Mundo Revista", y "El femenino". Empezó a publicar primero en la revista *Borrón 1* (1987), *Borrón 2 y 3* (1988), *Breve Poesía Cruceña 1* (1990). En 1995 tuvo la oportunidad de formar parte del grupo *Lítera Viva*, que aglutinaba a escritores de todas las edades y coordinado por la desaparecida escritora Beatriz Kuramoto, que viabilizó la publicación de poemas, relatos y ensayos en el suplemento Sábado Cultural del periódico El Mundo, entre 1995 y 1997. Estas publicaciones luego fueron recopiladas y publicadas en el libro *Digesto* de 1996, 1997, 1998. En 1995 participó de la publicación conjunta *Breve Poesía Cruceña II*. En 1996 participó del VII Encuentro de Escritoras Rosalía de Castro en Nigrán, España, junto a la escritora Blanca Elena Paz, a quien colaboró en la ponencia con el título "Literatura femenina e identidad nacional", asimismo aportó con un poema al Encuentro poético sobre el mar, poema que fue expuesto en Canadá durante el XLIII Congreso de la Asociación Canadiense de Hispanistas, Universidad de Saskatchewan, Saskatoon, Canadá, entre el 26 y 29 de mayo de 2007.

II. Entrevista

MG: ¿Cómo ha sido tu formación literaria?

HNV: Cuando era pequeña y mi padre me relataba fábulas, me daba poemas a memorizar para declamarlos en la escuela. Junto con él, devoraba periódicos, libros y revistas que él llevaba hasta el remoto lugar donde nací, llamado Igüembe. Impulsada por ese rinconcito fantástico descubierto en las lecturas iniciales, llegué a capital para estudiar secundaria y luego Lenguaje y Literatura en la Normal superior Mariscal Sucre. Cuando cursaba la secundaria, en la residencia para señoritas donde estaba internada, tuve la suerte de ser asesorada por la directora, la profesora Adiva Israel, quien me facilitaba libros para leer en vacaciones. Leí a los clásicos en esa época y luego me detuve en San Juan de la Cruz, Baudelaire, Thomas Eliot. Sin embargo, León Felipe y Octavio Paz, marcaron mi preferencia por el género.

A finales de la década 80 tuve la oportunidad de asistir a algunas clases del taller que dio el escritor Jorge Suárez, mentor de una generación de escritores que sacó a Santa Cruz del anonimato literario en Bolivia; entonces sentí la necesidad de profundizar mis conocimientos en el área en el que me desempeñaba, y continué con Filología Hispánica en la Universidad Gabriel René Moreno.

MG: ¿Qué representa el acto creativo para ti y cómo elaboras tu obra?

HNV: Un acto vital, una restauración de lo sagrado personal en comunión con el mundo. Que la poesía dé placer además de ser digerida, que mis versos lleven la pasión en las palabras y no sean momias lapidadas en el papel. La escritura es mi urgente necesidad de encontrar la conexión de mi ser profundo con el mundo de colores, sabores y olores, a veces revelación de desencuentros con fantasmas transgresores, y a través de la voz sonora de mis poemas, sacudir las raíces de la indiferencia, para renacer en la reacción y acción del lector.

MG: ¿Cuándo empezaste a escribir y cuál fue el detonante que te llevó a hacerlo?

HNV: En mi infancia ya hacía versos a la naturaleza y a los animales, motivada por las lecturas que me proporcionaba mi padre. Fue una etapa de contacto con el ambiente que me rodeaba. No puedo hablar precisamente de un detonante, sino de una evolución natural de un ser vivo, que abre los ojos en su encuentro con la naturaleza humana, y luego va desplazándose a paso lento en la escritura.

MG: ¿Tienes el mismo tratamiento para tus personajes femeninos, que para los masculinos?

HNV: Necesariamente, tenemos que admitir que somos diferentes fisiológicamente, que la mujer puede ser más emocional y práctica, en cambio el hombre más racional, características de una tipología desde el punto de vista popular. Aunque nunca los veo polarizados, sino complementarios de una misma naturaleza.

MG: ¿Piensas que existe una diferencia entre escritura femenina y masculina?

HNV: Este binomio simplista ha causado demasiada humareda en la crítica literaria. Es natural que existan puntos de vista desde la psicología de uno o del otro. Muchos escritores varones han tratado magistralmente personajes femeninos y a la inversa, a pesar de algunos terroristas de la palabra, que dispararon contra la mujer en una actitud claramente misógina, y que sin ánimo de polemizar, pienso que existe buena y mala literatura. Sin duda, existen puntos de vista que nada tienen que ver con reivindicaciones de género, precisamente, sino que la mujer mira su entorno y lo hace literatura, y en esa escritura encontraremos su espacio, sus personajes cercanos, sus vivencias, desilusiones y satisfacciones propias de las circunstancias en las que se desenvuelve.

MG: ¿Qué representa ser mujer y escritora en este momento?

HNV: Me acerca a la divinidad que es fuente de creación, la mujer es la que pare y la creación es un acto muy femenino, aunque muchas veces nos relegamos, porque siendo jóvenes buscamos al eterno príncipe azul y después nos entregamos a los demás, descuidando nuestra realización personal. Siempre estuve orgullosa de mi condición femenina, porque en ningún momento fue un obstáculo en el desempeño profesional, aunque en mi país ser escritora es todavía un gran desafío; a pesar de la lucha universal por la inclusión femenina, a la hora de la verdad, la mujer tiene menos oportunidades, mayores limitantes y peores condiciones en relación al hombre. En mi caso, la única y real barrera la creo yo misma, todo depende de la determinación, que es lo que predico y realizo.

MG: ¿En tu poesía, uno de los aspectos presentes es el proceso creativo y la lucha con el lenguaje como en "La sinestesia", "Falacia", "Letras", "Sábado proverbial" entre otros. ¿Fue adrede? ¿Cómo se germinó tu poema "Falacia"?

HNV: Definitivamente esos poemas son una danza del lenguaje, palabras que dicen, otras que vuelan, el lenguaje de la presencia y ausencia con elipsis, para llamarla con precisión. "Falacia" es un aparente engaño de contenido y expresión con palabras al vuelo, que el lector puede tomarlas como guste para llegar al final; es decir, elegir el camino de la lectura. "Letras" es un ejercicio de escritura poética, motivada por el chat que refleja la interacción virtual, el nacimiento de la escritura y la comunicación en el ciberespacio. Proverbial, en cambio, es un poema de desencuentros con la realidad política y social de mi país, un grito de impotencia ante la impunidad generalizada con lenguaje fragmentado, trabajado a propósito; tiene versos que son proyectiles independientes con el fin de provocar. Sábado, en cambio, es una batalla o **fiesta literarias**, (según cómo visualice el lector) escrito a propósito del día de las reuniones literarias de Lítera Viva; innegablemente describe el acto creativo o acto de alumbramiento de un poema.

MG: ¿Qué representa la poesía para ti?

HNV: Es mi vida, mi existencia, mi razón de ser. Con ella vivo. Me pasé la vida versificando, trabajando ejemplos de todo tipo para mis alumnos, escribiendo versitos sencillos para los actos cívicos; como quien dice, siempre estuve pariendo versos y el acto creativo es parte de mí, una razón de ser. En el proceso empecé cogiendo flores del lenguaje, expresiones musicales, intentado encontrar la melodía en el texto, y borrando como dice León Felipe, siempre borrando.

MG: ¿Se podría hablar de una columna vertebral en tu obra creativa?

HNV: Muy simple: "Encuentros y desencuentros que derivan en la protesta".

MG: La naturaleza está presente en tu obra, sin embargo, noto la ausencia del espacio verde y cuando aparece está muriendo "cardos agonizando". ¿Qué representan el espacio verde, el jardín, la selva, los árboles para ti?

HNV: Toda mi poesía sobre la naturaleza fue fruto de mi niñez, era poesía experimental, por eso está ausente en las publicaciones, surgió de mi contacto con los sauces, lapachos, algarrobos, o animales como los que cazaba mi padre después de su actividad diaria. Esa naturaleza quedó atrás, mi región ya no es como antes, ya no existen tantos animales para cazar, y sólo pequeños lugares verdes que van desapareciendo poco a poco por la tala incesante, quizás es la razón por la que está ausente en la mayoría de mis textos, porque a pesar de vivir en un lugar tapizado de verde, como es Santa Cruz, no dejo de ser chaqueña y el chaco es seco. El pequeño valle donde vivía ahora está contaminado, los árboles se hicieron leña, muebles, postes para los alambrados y en invierno ese paisaje da tristeza, y si la temporada de lluvia se atrasa, el sol implacablemente quema las hojas, y el escenario gris, amarillento de los matorrales secos, cubre los campos donde los animales buscan desesperadamente el escaso alimento, hasta que por falta de alimento y agua mueren con los ojos abiertos como implorando salvación.

MG: ¿Por qué la poesía es tu género favorito?

HNV: La poesía, indiscutiblemente. Es un género de lo íntimo, de las confesiones de alto vuelo, no de las elucubraciones simplistas ni de catarsis intimista, sino de la interacción del poeta con el mundo real y subjetivo.

MG: ¿Cuál fue el detonante que te llevó a escribir tu cuento "En silencio"?

HNV: Sinceramente: confieso que he pecado al publicar ese cuento. Lo calificaría como una pequeña anécdota en prosa y con el tema desde el punto de vista femenino, expresa mi protesta ante la situación de muchas mujeres, que son capaces de los mayores sacrificios, hasta la anulación de su personalidad para ser amadas, cuyo final es el abandono.

MG: ¿Cuál es tu opinión en cuanto a la globalización y las escritoras?

HNV: Iniciada la tercera revolución industrial con el auge de las tecnologías de información y comunicación, la mujer tiene la oportunidad de trascender su escenario regional con su literatura, al interactuar con escritoras de países que antes de esta época le era difícil conocer. La globalización le permite un intercambio de culturas, estar presente no sólo en las publicaciones editoriales clásicas, sino presencias virtuales y, lo que es más, acceder a debates, encuentros, que la hacen partícipe o actora de las corrientes universales.

MG: ¿Qué esperas de tus lectores?

HNV: Espero que mi poema sea como un vaso de agua que da satisfacción, y producto de esta satisfacción, el lector transforme mi poema en poesía. Es importante que quien lee lo que escribo se sienta a gusto con lo que hice. Si esto sucede, lograré esa mediación entre lo que quise decir y el efecto que deseo producir en la primera lectura; si esto no ocurre, quiere decir que mi poema tiene sombras que debo aclarar.

MG: ¿En qué proyectos estás trabajando?

HNV: Hace mucho tiempo debí haber publicado todas mis creaciones, escribí toda mi vida, tengo material acumulado, y después de haber recorrido una época de dudas, comparaciones e influencias, siento la necesidad de hacerlos conocer de una vez por todas. Tengo algún material sobre mitos de mi pueblo, que espero completar muy pronto, porque se hace necesario rescatar la literatura oral que fue evolucionando en las diversas etapas de la vida de sus habitantes. Su génesis, su niñez y el conflicto efervescente entre lo religioso, las nuevas concepciones políticas y las dudas de un pueblo con destino incierto.

MG: ¿Qué recomendarías a los escritores que están emergiendo?

HNV: La lectura placentera en primer lugar y leer aquello con lo que disfrutan, porque, seguramente, se encontrarán en el camino a los grandes autores clásicos griegos y romanos, de quienes tendrán mucho que aprender. Deben leer a escritores de diversas épocas, etapas y movimientos literarios, pero siempre darse una pausa antes de publicar. Aunque la influencia de las tecnologías de la comunicación induce a la inmediatez, es importante que los jóvenes no se dejen encandilar con las bitácoras o páginas personales que les permiten la publicación veloz. Es imprescindible quemar etapas, lecturas, formación literaria y sobre todo escribir todos los días.

Mónica Velásquez

I. Reseña biográfica

Nació en La Paz en 1972. Obtuvo la Licenciatura en Letras Hispánicas, en la universidad Mayor de San Andrés, y luego el Doctorado en Letras Hispánicas, en el Colegio de México. Trabajó como docente en el Colegio de México y actualmente en la Universidad Católica Boliviana. Ha publicado los poemarios *3 nombres para un lugar* (1995), *Fronteras de doble filo* (1998) y *El viento de los náufragos* (2005). Ha editado y compilado la antología de poesía boliviana, *Ordenar la danza*, publicada en Chile en el 2004.

II. Entrevista

MG: ¿Puedes hablarme de tu ámbito familiar?

MV: Crecí como hermana mayor de una familia de 4 hermanos. Tengo una hermana gemela que se llama Verónica y que inspiró mi segundo libro dedicado justamente a la sensación de que todos tenemos un hermano gemelo que nos es interno. O sea, nuestro otro lado de ver o de sentir o de pensar las cosas. Mis padres trabajaron siempre, y les debo la disciplina tanto como el amor al trabajo. Ninguno de ellos se dedica a la literatura pero se han convertido en lectores frecuentes.

MG: ¿Cómo ha sido tu formación literaria?

MV: Soy académica y me gusta serlo aunque a veces entra en pugna con mi ser poeta que es más libre y suele burlarse de todas esas certezas. He aprovechado también de viajar mucho, especialmente con becas como la del International Writting Program de Iowa donde estuve en 1997. Allí aprendí mucho de mis colegas escritores

MG: ¿Qué representa el acto de la escritura para ti y cómo elaboras tu obra?

MV: Para mí la poesía lo es todo, mi manera de ver el mundo, de relacionarme con los demás y de hallarme un sitio en este planeta. También es la posibilidad de cambiar las cosas. Yo creo que la poesía tiene una magia que nos es desconocida, incluso a quienes la escribimos. Ella se revela después de publicada y de leída afectando de manera maravillosa la vida de la gente. Como paréntesis te cuento que hace 3 años, cuando volví a la Paz después de vivir 6 años en México, inventé el festival de poesía en la calle. Justamente lo que hacemos ahí es sacar la poesía de ámbitos cerrados e institucionales para llevarla a plazas, atrios y todo lugar público, que es dónde creo que debe estar.

MG: ¿Cuándo empezaste a escribir y cuál fue el detonante que te llevó a hacerlo?

MV: Escribí desde muy pequeña. Primero inventaba historias y hacia los 8 años armé mi primer libro engrapando hojas de cuaderno. Desde los 12 escribo poesía y empecé a hacerlo después de enfermarme de una pulmonía severa. Creo que desde ahí mi poesía ha estado relacionada con la muerte de una forma amable, sin temor aunque con respeto. Creo también que desde entonces he hallado en la palabra la mejor forma de amar la vida.

MG: ¿Has escrito narrativa?

MV: No he escrito narrativa, a excepción de unos cuentos que perdí cuando en México me robaron mi *laptop* y no tenía copias de resguardo. Me pareció una señal para ser fiel al género, ja, ja, ja...

MG: ¿Se podría hablar de una columna vertebral en tu obra?

MV: Creo que la muerte es una constante interlocutora y motivación, así como la necesidad de ser muchas a la vez, de no encerrarme en un sólo nombre o cuerpo o forma de ver el mundo.

MG: ¿Cuál fue el detonante que te llevó a escribir **El viento de los náufragos?** *¿Cómo nace tu poema "La hechicera"?*

MV: *El viento de los náufragos* es muy importante. Creo que es mi paso por mis infiernos personales y más profundos. Es un paso sin miedo por el dolor, por la pérdida y por el deseo de morir. "La hechicera" es un largo poema que me sirvió para exorcizar una relación paranormal con los muertos a quiénes presentí y vi durante muchos años. Desde que escribí el poema se han marchado. Es también una especie de lujuria con la palabra que es un rasgo común a la hechicería y la poesía.

MG: Noto en tu poesía la recurrencia de temas como el escribir y la muerte. ¿Cuál es tu percepción sobre la muerte?

MV: Creo que la muerte está a nuestro lado. No es para mí un futuro lejano y envejecido. Es más bien una puerta entreabierta y caminando permanentemente a nuestro lado. Una fuerza también, en cuanto nos recuerda un fin; pero también una posibilidad de ser de otra forma.

MG: Otro aspecto presente en tus poemas es el de los dobles y las gemelas. ¿Existe una referencia extratextual?

MV: Lo de las gemelas es por mi hermana, pero también por esa certeza de ser muchas, de estar habitada por varias Mónicas.

MG: ¿Cómo nacen tus textos 3 nombres para un lugar *y* Fronteras de doble filo?

MV: El primero lo escribí como un primer libro y hay en él la idea de que una muerte ocurre varias veces antes de llevarse el cuerpo. Es la transformación de la niñez hacia la vida adulta entendida como un funeral interno donde, como lo marcan las cartas del tarot, una se muere para ser otra. *Fronteras de doble filo* es una exploración del 'gemelazgo' en todos los sentidos. Es un libro experimental en la forma, porque intenta incluir varias voces en el poema.

MG: Las plantas, el bosque, el pino, aparecen en tu obra. ¿Qué representa el espacio verde (el jardín, las plantas, la selva) para ti? ¿Está presente en tu obra, adrede o no?

MV: Ese es un azar y nunca pensé en ello. Como buena paceña el verde me asombra y me asusta. Estoy más hecha para las montañas.

MG: Los libros y la biblioteca también se mencionan en tus poemas. ¿Qué significan para ti los libros y el espacio físico de la biblioteca?

MV: Una versión del paraíso, o de la extensión de mi cabeza; es decir, un lugar que me es familiar y amado. Yo creo que los libros son como las personas, que hay que visitarlos y conocerlos, aprender cuáles te caen bien. Parece muy simple pero para mí son fuente de vida y de encuentros.

MG: ¿Qué representa ser mujer y escritora en Bolivia en este momento?

MV: Creo que en cualquier lado es un reto, sobretodo en países machistas como el nuestro, donde los escritores se reúnen alrededor de cervezas, erudiciones y certezas masculinas, donde es difícil caber como par, como igual. Todavía es un desafío y exige mucha creatividad para inventar formas de acercarse. Felizmente en Bolivia, escritoras como Blanca Wiethuchter han abierto para nosotras muchas opciones. Hay varias escritoras que aprecio y admiro, con quienes puedo conversar.

MG: ¿Cuál es tu opinión en cuanto a la globalización y las escritoras?

MV: Me es difícil decir la palabra "globalización". Todavía se me empalaga en la garganta. No creo en las igualdades absolutas ni en los comercios transnacionales ni en la lengua común. Me aferro aún a la particularidad, los equívocos, los desvíos de las leyes.

MG: ¿En qué proyectos estás trabajando?

MV: En un poemario nuevo y un libro de ensayos sobre poesía latinoamericana. Además de mis clases, que son fuente de placer y de largos encuentros con chicas y chicos talentosos.

MG: ¿Qué recomendarías a los escritores nuevos que están emergiendo?

MV: Que no se confíen a la genialidad y trabajen arduamente.

Konzuelo Villalobos

I. Reseña biográfica

Konzuelo Villalobos nació en La Paz, Bolivia, en 1959. Arquitecta por la Escuela de Arquitectura y diseño de Moscú. Poeta, narradora, con especial afición por la cerámica, la ilustración y la fotografía. Reside en Santa Cruz desde 1997. Primer Premio en el Encuentro Nacional de Haiku "Lomas de Arena" (Santa Cruz, 2003). Entre sus obras se cuentan: *Hermanando*. Antología chileno-boliviana (Santiago de Chile, 2005). *Expo-Ética*. Memoria II Exposición Colectiva de Poesía (Santa Cruz, 2006). *Círculo de poesía 8*. Movimiento Cultural Abrace (Montevideo, 2007). Ha publicado *Confluencias*, coautoría con el poeta español Javier Cabrera (Las Palmas, 2006), *Dédalus: Diseño interior*, poemas (Montevideo, 2006).

II. Entrevista

MG: ¿Podrías hablarme de tu ámbito familiar?
KV: Mi familia actual se ha formado hace 24 años. En el transcurso de ese tiempo hemos llegado al número 7, número divino dicen: 2 padres —mi esposo y yo— y 5 hijos, 2 de los cuales estudian: el mayor —lejos de casa por ahora— será economista; la menor, de 10 años, en la escuela. De los 3 restantes —no por vagos menos queridos—: el mayor tiene hermosas orejas largas y ladra de tanto en tanto; la que le sigue es más gata que cualquiera; y la última siempre quiere besar a alguien desde su pecera. Creo que tenemos un ambiente tranquilo, donde todos se expresan libremente. Hemos alcanzado un equilibrio interesante y grato, pese a los devaneos de la vida.

MG: ¿Cómo ha sido tu formación literaria?
KV: No sé si en mi caso cabe hablar de 'formación'. Le llamaría tal vez 'gula literaria', ya que desde joven leía lo que caía en mis manos. Autores como Neruda, Parra, Teillier, Octavio Paz, Jaime Saenz, Oscar Cerruto, posteriormente Mallarmé, Rimbaud, son sólo algunos de los poetas, aunque no puedo afirmar que me haya influido uno en particular. Cervantes, Dostoyevski, Chejov, Cortázar, Borges, Kafka, Sartre, Camus, Joyce, Poe, Saramago. También algunos narradores que me vienen a la mente, y el gran Rulfo, claro. Independientemente del origen geográfico, los libros son una gran escuela, de la que uno nunca termina de egresar. Quisiera leer más norteamericanos y franceses, y árabes y griegos, en fin...y que la vida alcance para seguir leyendo.

MG: ¿Qué representa el acto de la escritura para ti y cómo elaboras tu obra?
KV: El acto de escribir para crear es el acto de un poseso durante el cual, el tiempo, tal como lo concebimos, se

suspende y queda uno solo, o con la palabra y con ese algo que fluye y las ordena —o desordena según el caso— al son de una música, de una idea, de un concepto, a veces abstracto —metafísico en el caso de la poesía—, a veces tan tangible como la hoja sobre la que se escribe. No respeta horarios, ni espacios ni tiempo. Escribir para mí, implica dejar el espacio cotidiano, sin necesariamente abandonarlo en sentido creativo, para entrar en otro, quizás más sagrado, donde lo cotidiano justamente se transforma, sufre su alquimia a través de la palabra, dentro de una comunión total e incondicional con lo que se escribe —en una suerte de trance temporal— requisito que considero indispensable e irrenunciable.

Creo haber abarcado ambas preguntas.

MG: ¿Cuándo empezaste a escribir y cuál fue el detonante que te llevó a hacerlo?

KV: Empecé a hacer versos, como todos, creo: en la adolescencia. No eran de amor a un príncipe inalcanzable, como puede suponerse. La pubertad significó para mí un total retraimiento, debido a la larga enfermedad de mi madre, a la inexistencia de mi padre. Así que, más que versos, eran casi preguntas, increpaciones a la vida, a un dios intangible que me enseñaron a venerar. El amor se me volcaba hacia otras existencias: animales, fenómenos de la naturaleza y, sobretodo, a la soledad. Fue un tiempo de pérdidas trascendentales en mi vida: la muerte de mi madre y mi hermana mayor.

MG ¿Cómo nace tu poemario **Dédalus: Diseño interior?**

KV: Nunca se me ocurrió que podría publicarse algo que yo escribiera. Tenía los poemas encajonados y los cajones empolvados. Así que cuando gracias a un poema (enviado en respuesta a cierta convocatoria) me vi viajando a Chile, me contacté ahí con poetas y editores de muchas nacionalidades, entre los cuales el uruguayo Roberto Bianchi

—que es ambas cosas— y que leyó algo de lo que llevé, propuso enseguida hacerme el libro.

El *Dédalus* fue concebido a partir de material antiguo y nuevo, que fue 'ordenado' en secciones que contemplan temáticas afines.

MG: ¿Cuál es la temática de tu obra? Desafortunadamente sólo conozco tu libro **Dédalus.**

KV: Me atrevería a decir que afortunadamente lo conoces. Primero, porque no sé a ciencia cierta si volveré a hacer otro libro de poesía. Y segundo, porque de alguna manera *Dédalus*, como su nombre mismo lo revela, se constituye en un brevísimo laberinto dividido en 4 cuerpos o 'galerías', sólo cuatro, nada más, fíjate, que trata —osadamente creo— de abarcar una minúscula arista de la multidimensionalidad del ser humano, campo de por sí ilimitado, imprevisible y claroscuro. Cuatro secciones que podrían ser muchas, pero muchísimas más. Y luego no sólo ser secciones, sino libros y relatos y novelas.

La temática de mi —por ahora muy escueta— obra, como la de todo aquel que escribe y crea, trata de eso justamente: el ser humano, pero no sólo frente a sí mismo, a su razón o sinrazón, sino frente al mundo, a su compromiso con la vida. Y a partir de él —como universo— todo lo intangible y tangible que le rodea, le toca y le mueve en infinitas direcciones.

MG: Encuentro mucho cromatismo en tu libro **Dédalus,** *sin embargo predomina el color azul o elementos conectados con este color. Inclusive uno de los poemas lo titulas* **Hora azul.** *¿Tiene algún significado para ti, este color favorito de los modernistas?*

KV: Lo del cromatismo, supongo que tiene que ver con haber estudiado el color dentro de lo que es diseño, con mi gusto por la plástica, con todo su significado y lenguaje físico y metafísico. Sin embargo, nunca tomé conciencia sobre el porqué de mi inclinación al azul, y no supe sino hasta hace poco que era el color de los 'simbolistas' de la escuela parisina en la Rue de Rome, casa de Mallarmé. El azul como símbolo del misterio y del infinito para el grupo de 1885, imagino que lo sigue siendo para muchos poetas. Y pensando en el color del cielo y del mar que se besan en un horizonte que no termina, es, a fin de cuentas, el color de lo que más nos acerca al infinito, dentro de la naturaleza.

MG: Disfruté mucho de tu poema "Facultad de arte", porque es un poema visual y cromático en donde pintas con las palabras. Pienso que ese poema refleja el proceso creativo del hablante lírico femenino de tu poesía. Los pinceles son la pluma que dan nacimiento a un poema muy cromático, que es la esencia de **Dédalus** *ante los ojos de los lectortes. ¿Cómo nace ese poema?*

KV: Bueno, el título se relaciona con 2 aspectos que en determinado momento de mi vida se constituyeron en un eje: La 'facultad de arte', como sección de una casa superior de estudios o universidad, donde se estudia artes a nivel de licenciatura —adonde asistí durante un semestre antes de ausentarme a Rusia— y la 'facultad de arte', como la aptitud y capacidad de aprender y aprehender el arte, no sólo en el sentido plástico-estético, sino existencial: la vida como la más soberbia y exquisita obra de arte, así como el amor —ambos no exentos de caos e improvisación—. El poema como la resuma del amor incipiente, en la época aquella de asistir a la 'facu' con los pinceles bajo el brazo y la confrontación lúdica de pasión y miedo, con todas sus gamas emocionales, desafiantes, ineludiblemente cromáticas.

MG: ¿Cómo desarrollas a tus personajes femeninos? ¿Tienes el mismo tratamiento para los personajes masculinos?

KV: Los desarrollo exactamente igual, pero inevitablemente diferente. Me explico: parto de la idea de que los seres humanos somos esencialmente espíritu, que al encarnar asumimos un determinado sexo y somos 'educados' (no digo formados, porque lamentablemente nuestra educación occidental-cartesiano-aristotélica, casi siempre acaba deformándonos) para asumir ese rol sexual a lo largo de nuestra existencia. Pero todos —hombres y mujeres— tenemos en esencia las mismas capacidades, la misma energía femenina y masculina, en diferentes grados y proporciones, obviamente. El despertar del aspecto racionalizador en la mujer, el manejo de la lógica y el cálculo, la lleva a realizar empresas antes sólo asumidas por hombres. El despertar del aspecto femenino en el hombre, lo conduce a manejar de mejor manera la sutileza, el equilibrio de sus relaciones, la intuición, la generosidad, la amplitud de criterio. Cuando el hombre o la mujer se niegan a desarrollar al antípoda que llevan dentro —o éste acaba dominándolos, en el otro extremo— es cuando deviene el choque y el conflicto, primero dentro de ellos y luego entre ellos y asumen su rol tradicional y ortodoxo o lo quiebran totalmente, hasta conformar un universo de autoexclusión. Para desarrollar personajes tradicionales, conservadores, o en su defecto 'desencajados' —masculinos o femeninos—. Sólo tengo que distanciarlos de su 'completud', lo que paradójicamente equivale a hacerlos muy reales, a verlos tal cual son y se mueven en el mundo y ubicarlos en el contexto de la narración o la poesía. Pero obviamente la literatura es ficción, por tanto el escritor es el mago y puede darse el lujo de quebrar los moldes.

MG: ¿Qué representa el espacio verde (el jardín, las plantas, la selva) para ti? ¿Está presente en tu obra?

KV: La fauna como expresión de la naturaleza está muy poco en mi trabajo; salvo el jardín de la casa de mi infancia,

como espacio físico y emocional, en poemas dedicados a
mi madre. Nací y viví en una ciudad con muy poco verdor,
puede ser ésa una razón. Lo que no significa que un día no
incluya ese espacio en alguna historia o trama.

*MG: ¿Qué significan para ti los libros y el espacio físi-
co de la biblioteca? ¿Aparecen estos aspectos en tu obra?*

KV: Los libros han tenido y tienen un significado y
valor incalculable en mi vida, en el estímulo para escribir,
descubrir, viajar, investigar, reflexionar, asumir actitudes y
desarrollar aptitudes hacia el entorno. No así, el espacio físico de una biblioteca, al menos ninguna que haya conocido y
visitado hasta ahora. Imaginar si, la antigua y desaparecida
biblioteca de Alejandría por ejemplo —no sólo desde la visión borgiana— supone un cúmulo de emociones difíciles de
describir. Y soñar con un espacio así, pero propio, hasta lo he
concebido arquitectónicamente y espero sea una realidad en
un futuro no muy lejano. Una biblioteca pública, en cambio,
me sugiere cierta frialdad, formalidad y distancia.

*MG: ¿Piensas que existe una diferencia entre escritura
femenina y masculina?*

KV: No creo que exista una escritura femenina y otra
masculina. Existe buena o mala literatura y punto. Si alguien
lee un buen texto sin saber quién es el autor, difícilmente
podría determinar el sexo del mismo. ¿Wilde habría escrito
De Profundis de no haber sido homosexual? ¿Y a la obra de
un homosexual cómo se denominaría?

Acotando a lo explicado en la respuesta a la pregunta
9, creo que el término de 'escritura o literatura femenina' lo
inventaron los hombres, en ese afán que impone la cultura
patriarcal de etiquetarlo todo. Que yo recuerde, nadie ha
llamado 'literatura masculina' a lo que ha sido producido
desde el fin de la prehistoria hasta nuestros días. Literatura

feminista sí debe existir, incluso escrita por hombres, pero eso es otra cosa. ¿Será miedo a lo que ellos suponen desconocido o exento de valor intelectual? ¿Miedo a escuchar la otra voz que puede traer nuevos y exquisitos sonidos? Sonidos plenos de universalidad, que el mundo conflictuado precisa, con urgencia, para lograr el equilibrio del que ahora carece.

MG: ¿Qué representa ser mujer y escritora en Bolivia, en este momento?

KV: Representa un reto múltiple por el momento de transición que atravesamos como país, como sociedad. Están por ponerse nuevos cimientos para construir algo que aún no tiene forma y pugna por emerger. Sin embargo, junto a la disyuntiva, salen a flote diferencias profundas, enraizadas desde el nacimiento mismo de esta pequeña nación, en el centro mismo del cono sur, con culturas precolombinas que han sobrevivido con salud, pese a la exclusión histórica, a lo largo de los siglos y luchan por imponerse. La visión de país —concepto que se manipula en desmedro de un equilibrio social—, pone en riesgo las esperanzas de millones de bolivianos. Es un momento de quiebre, y quizá nada como la literatura para reflejar la vivencia de una sociedad dividida, resquebrajada y temblorosa, que nunca asumió la realidad de una mayoría racial y socialmente excluida expandida en montañas y selvas, en las periferias y, hoy por hoy, en el corazón mismo de nuestras urbes, añorando un porvenir que nunca llega. Un desafío para la literatura, que tienda lazos y ubique a Bolivia, primero en el contexto de su propia realidad y perspectiva y en la de un mundo que —globalizado o no— comparte con nosotros un destino común.

MG: ¿Qué esperas de tus lectores?

KV: Absolutamente nada. Son los lectores los que pueden —o no— esperar de uno, dependiendo de cuánto ha podido tomar de lo entregado. Los que al final, quitan u otorgan, acogen o rechazan. Ellos deciden, no uno. Y es verdad, también que hay libros que no son para todos y pueden no ser para nadie —válgame la redundancia.

MG: ¿En qué proyectos estás trabajando?
KV: Actualmente trabajo sobre una selección de relatos breves y no tan breves y la consiguiente ilustración.

MG: ¿Qué recomendarías a los escritores nuevos que están emergiendo?
KV: Que escriban. Simplemente eso. Lean y escriban. Vean y escriban. Vivan y escriban.

Emma Villazón Richter

I. Reseña biográfica

Nació en Santa Cruz, Bolivia, 1983. Licenciada en Derecho. Ha obtenido Menciones Honrosas en el Concurso Nacional de Cuento Breve, organizado por el Diario El Deber en el 2001 y el 2002. Ha participado en la *Colección de obras literarias de jóvenes escritores de Hispanoamérica*, La Mirada. En el 2006 ganó el primer lugar en el Concurso de Poesía, dirigido por el Departamento de Investigación de la Universidad Autónoma Gabriel René Moreno. Sus obras se han publicado en revistas culturales y los Diarios El Deber y El Nuevo Día. El 12 de abril de 2007 obtuvo el Primer Premio Nacional "Noveles Escritores". Género: Poesía, cuyo texto se publicó en el 2007 como *Fábulas de una caída*.

II. Entrevista

MG: ¿Cómo ha sido tu formación literaria?

EV: Desde adolescente me apasiona la literatura. A medida que fui creciendo tuve la capacidad para seleccionar los autores que me marcarían, y adquirir un placer inagotable de la literatura, así como una mirada crítica sobre la misma. Podría decir que mi encuentro con los libros nació con una alegre sorpresa y extrañamiento, y más tarde se convirtió en una relación conciente y comprometida con un proyecto de creación y de estudio, sin que por ello pierda las sensaciones que fundaron mi apego hacia la literatura. Por eso decidí estudiar Filología Hispánica, por la cercanía que tengo desde una perspectiva académica con la lengua y la crítica literaria.

MG: ¿Qué representa el acto de la escritura para ti y cómo elaboras tu obra?

EV: Es un acto de desahogo ante el mundo, es la mejor forma que encuentro para estar entre los demás. Creo en el acto de escritura como una forma de ser ante el medio y ante uno mismo. Desde esta posición mi obra se construye con todo lo que acumula mi experiencia, mis lecturas, las películas que veo, las cosas que no veo ni hago, entre las cuales podría servirme hasta una entrevista.

MG: ¿Cuándo empezaste a escribir y cuál fue el detonante que te llevó a hacerlo?

EV: Desde mi adolescencia. El detonante no lo podría explicar. Lo que puedo afirmar es que decidí comprometerme con la literatura y publicar cuando reconocí que lo mejor que podía hacer en este mundo y lo que más me satisfacía era seguir escribiendo y transmitir mis escritos.

MG: ¿Cómo nace tu libro **Fábulas de una caída** *y como se germinó el texto?*

EV: Es un conjunto de textos que escribí hace varios años, con la idea de que conformaran un libro. La obra nació con el delirio de las primeras rupturas que se tiene con la inocencia, y el ingreso torpe y desprevenido a la adultez.

MG: ¿En tu opinión, cuál es la temática en tu obra?
EV: No sé si habrá una sola temática. Con el temor de reducir lo que puede ofrecer la obra, considero que quizás esta trata sobre la desesperación que provoca a una conciencia, el haber perdido la posibilidad de vivir conciliada con el amor y el paso del tiempo, circunstancias que de alguna manera representan la entrada al mundo adulto.

MG: ¿Cómo desarrollas a tus personajes femeninos? ¿Tienes el mismo tratamiento para los personajes masculinos?
EV: Realmente eso es algo que en poesía no me he propuesto trabajar. Supongo que sería algo así como dedicarme a construir una personalidad, cosa que no hago, claro que sí trato de expresar una voz femenina lo más natural posible, e intento que ésta sea transparente. Todavía no he escrito poesía desde una voz masculina.

MG: La naturaleza verde está presente en tu obra ¿Qué representa el espacio verde, el jardín, las plantas, la selva para ti?
EV: Lo verde refleja parte de la naturaleza en la que vivo, es el atributo de la ciudad que me produce sosiego, tranquilidad y al mismo tiempo curiosidad, un interés por esa otra vida extraña que está alrededor mío.

MG: ¿Qué representan para ti los libros y el espacio físico de la biblioteca? ¿Aparecen estos aspectos en tu obra?
EV: Si a uno le gusta leer, y ha ido creciendo acompañado constantemente de libros, éstos se convierten en una necesidad, en una compañía vital. Recuerdo que en algún poema me refiero a los libros; sin embargo, si bien no insisto

en considerarlos un objeto de mi escritura, reconozco que exhibo mis lecturas a lo largo de mi obra, mediante epígrafes. Esto no tiene otra intención más que demostrar el deseo que tengo de dialogar con escritores que quiero.

MG: ¿Piensas que existe una diferencia entre escritura femenina y masculina?

EV: Primero debo aclarar lo que entiendo por una escritura femenina y una masculina. Considero a ambas dos formas de expresión o de hacer ficción, las entiendo como voces sobre las que ni la mujer ni el hombre tienen dominio, sino plena libertad para escribir a través de ellas. Ahora, desde esta perspectiva, claro que sí hay una diferencia entre una voz masculina y femenina, ya que ambas reflejan experiencias distintas, formas de vida cultural, psicológica y fisiológicamente diferentes.

MG: ¿Qué representa ser mujer y escritora en Bolivia, en este momento?

EV: No sé qué significa ser mujer, no sabría definirlo, probablemente sea una forma de ser con la que uno vive diariamente y no se lo pregunta, o dentro de una descripción cultural signifique vivir conflictuada entre los papeles que la sociedad me impone, dentro de la valoración que ha asignado a la idea de mujer y mis deseos y pensamientos que transgreden ese orden.

MG: ¿Qué esperas de tus lectores?

EV: Comunicar experiencias de vida y conmover hasta lo inconmensurable.

MG: ¿Qué representa para ti el haber obtenido el primer premio en el Concurso Nacional de Noveles escritores en Poesía en el 2007?

EV: Una suma de dinero y la publicación de mi obra.

MG: ¿En qué proyectos estás trabajando?

EV: : Sigo con la poesía, y recientemente he sido invitada para participar en una exposición conjunta de artistas plásticos y escritores bolivianos, que consiste en que cada escritor trabaje con la palabra a partir de una obra plástica. Es un proyecto organizado por el Centro Simón I. Patiño y que pretende presentarse en Chile y Argentina.

MG: ¿Qué recomendarías a los escritores nuevos que están emergiendo?

EV: Que lean mucho, se mantengan en contacto con lo que se escribe afuera y dentro de su país, y sean extremadamente exigentes con su trabajo, que no crean que una obra se escribe en una noche ni que tampoco esperen a la musa para escribir.

Este libro se terminó de imprimir
en abril de 2008 en
los Talleres Gráficos de
Imprenta Landívar S.R.L.
Bolivia